北疆文化

黄河國家治理文獻集成（清代卷）第四十一册

《黄河國家治理文獻集成》編委會　編

總第五十七册

清代漢文朱批奏摺黄河治理資料輯録

（六）

張曉東　輯

內蒙古出版集團
內蒙古人民出版社

圖書在版編目（CIP）數據

清代漢文朱批奏摺黄河治理資料輯録．六 / 張曉東輯．-- 呼和浩特 ： 内蒙古人民出版社，2025. 8.
（黄河國家治理文獻集成）. -- ISBN 978-7-204-16681-7

Ⅰ．TV882.1

中國國家版本館 CIP 數據核字第 20258WT196 號

清代漢文朱批奏摺黄河治理资料輯録（六）

輯　　録　張曉東
策劃編輯　王　瑶
責任編輯　周承英
助理編輯　何可欣
裝幀設計　劉那日蘇　吉　雅　安立新
責任監印　包鐵柱
出版發行　内蒙古出版集團　内蒙古人民出版社
地　　址　呼和浩特市新城區中山東路 8 號波士名人國際 B 座 5 層
網　　址　http：//www.impph.cn
印　　刷　内蒙古愛信達教育印務有限責任公司
開　　本　880mm × 1230mm　1/16
印　　張　23.75
字　　數　290 千
版　　次　2025 年 8 月第 1 版
印　　次　2025 年 8 月第 1 次印刷
印　　數　1—1000 册
書　　號　ISBN 978-7-204-16681-7
定　　價　196.00 元

編纂委員會

引言

千古河流成沃野，幾年沙勢自風湍。

得益于黄河冲積所帶來的疏松土質和有機物，中華先民利用石製工具開始了農業生産，并逐步發展出旱地粟作農業，『能够最大程度保障食物供給的穩定性，奠定了中華文明起源和形成的堅實基礎』〔一〕。而利用河水灌溉，提高區域可預測農業産量，『在産業史上起着最有决定性的作用』〔二〕。隨後，技術進步、經濟發展、人口增加，讓先民的文化生活大爲豐富。嚴文明先生評價道：『這是一場影響深遠的革命。』〔三〕在這場革命中，平衡水、沙、産、人四者之間的關係，始終是黄河治理的核心問題。四者關係一旦失衡，就容易引發諸多灾患。

歷史上，黄河下游因人口稠密、經濟發達，一直是學術界關注的重點。但自河源至今内蒙古托克托縣河口鎮的黄河上、中游區域，雖遠離王畿，人口稀疏，却也一直備受關注，人們逐步認識到黄河全流域治理是國家的重要任務。《漢書》載：『堤防之作，近起戰國，雍防百川，各以自利。』〔四〕没有全流域的協同治理，僅靠各地分段築堤，則黄河河患無法解决。秦建立了中國歷史上第一個中央集權大一統王朝，秦始皇東巡碣石，刻石銘記『决通川防，夷去險阻』〔五〕，開啓中央政府調動各要素治黄之先河，這『在中國，實質上是國家的一種職能』〔六〕。同時，國家通過對黄河的有效治理，爲沿黄流域人民群衆乃至其他地區人民群衆提供了重要的公共物品和産業支撑，成爲人民群衆眼中中央政府的功過評價指標之一。因此，治黄在增强沿黄各族群國家、政治、文化認同的基礎上，强化了中國大一統國家的合法性，成爲歷代國家治理能力的一個重要測度。

一、黄河治理維護了國家的社會穩定

從秦并六國到漢朝建立大一統國家，中國統一的多民族國家形成并得到初步發展。當時中央政府對所轄疆域有『北邊郡』和『内郡』之稱。内蒙古額濟納旗出土的居延漢簡有載，『豤（墾）田以鐵器爲本北邊郡毋鐵官印器内郡令郡以時博賣予細民毋令豪富吏民得多取販賣細民』，可以看出北邊郡是與内郡相對應的行政管轄區域。《史記》卷二十八『封禪書第六』載：『上乃遂去，並（并）海上，北至碣石，巡自遼西，歷北邊至九原。』〔七〕。《史記》卷三十『平準書第八』載：『天子北至朔方，東到太山，巡海上，並（并）北邊以歸。』〔八〕司馬遷多次提及北邊，足見統治者對北邊治理的重視。

漢武帝時，齊人延年提出從今内蒙古引黄河水經今北京一帶，向東注入渤海，以衛北部邊疆。『是時方事匈奴，興功利，言便宜者甚衆。齊人延年上書言：「河出昆侖，經中國，注勃海，是其地勢西北高而東南下也。可案圖書，觀地形，令水工準高下，開大河上領，出之胡中，東注之海。如此，關東長無水災（灾），北邊不憂匈奴，可以省隄（堤）防備塞，士卒轉輸，胡寇侵盜（盗），覆軍殺將，暴骨原野之患。天下常備匈奴而不憂百越者，以其水絶壤斷也。此功壹（一）成，萬世大利。」』〔九〕《史記》卷二十四『樂書第二』載：『天馬來兮從西極，經萬里兮歸有德。承靈威兮降外國，涉流沙兮四夷服。』〔十〕如今，包頭地區出土了『四夷盡服』瓦當，出土文物與傳世文獻的呼應，成爲黄河治理維護祖國北部邊疆穩定的見證。

《史記》卷三十『平準書第八』載：『嚴助、朱買臣等招來東甌，事兩越，江淮之閒（間）蕭然煩費矣。唐蒙、司馬相如開路西南夷，鑿山通道千餘里，以廣巴蜀，巴蜀之民罷焉。彭吳（吴）賈滅朝鮮，置滄海之郡，則燕齊之閒（間）靡然發動。及王恢設謀馬邑，匈奴絶和親，侵擾北邊，兵連而不解，天下苦其勞，而干戈日滋。』〔十一〕清代《汾陽縣志》卷十三『藝文』收録曹學閔《開修黄蘆嶺車路紀德政碑記》，上載：『永寧州，界連西陲，北達邊外歸綏諸路，商賈遠貿粟麥，泛皮船隨黄流南下，聚于州西磧口，一府之民仰利賴焉。而東至太原，南抵平陽，州縣凡二十餘，亦視汾爲橐鑰，蓋所繫非特一方生計矣。』〔十二〕民國時期，東北淪陷後，開發西北刻不容緩，而『黄河中游之水利，自應加以擴充及整理，藉（借）收桑榆之效，以挽狂瀾於（于）萬一』〔十三〕。

因黄河流域自然條件優越，歷朝歷代都十分重視對此地的開發，通過强有力的國家干預方式推動各類産業的發展，爲中國北部疆域的形成和社會穩定奠定了基礎。

二、民族交往、物資交流、技術轉移促成黄河治理共同體

《史記》卷十五『六國年表第三』載：秦始皇三十三年（前214），『築長城河上，蒙恬將三十萬』[十四]。這數十萬人中，擁有一技之長的人員不在少數。由此，邊地人口不斷增多，而豐富的物産則促進了商品交流與統一市場的形成。西漢《鹽鐵論·力耕第二》記録了『异物内流』的情形：『是以羸（騾）驢馲駞（駝），銜尾入塞，驒騱騵馬，盡爲我畜，鼲鼦狐貉，采旃文罽，充於（于）内府，而璧玉珊瑚瑠（琉）璃，咸爲國之寶。』[十五]此後，黄河北岸的『羸（騾）驢馲駞（駝）』『驒騱騵馬』『鼲鼦狐貉』『采旃文罽』與西南織錦、中原麻織、農作物等物資相互交流，逐步形成統一的國内大市場，加强了邊疆與其他地區的經濟聯繫，促進了邊疆特色産業的發展。

隨着民族交往交流交融的增强，清代以降，黄河流域内蒙古段輸入到内地的也不僅僅是『异寶』了。《綏遠通志稿·水路》載：『自乾隆以還。口外墾殖日廣。民殷物阜。出境之油、糧、鹽、鹼（碱）、甘草各貨。入境之日用雜貨。山西與歸綏往來之商運。凡經河路者皆以托屬河口爲唯一之碼頭。』[十六]從清乾隆年間到民國時期，由内蒙古經黄河運到山西的貨物有糧、油、鹽、碱、藥材、皮毛等，其中以糧油爲最大宗。糧食品種主要有糜黍、穀子、高粱、豆類及玉米、大小麥

等，油料主要是胡麻。内蒙古供貨支綫有從阿拉善盟阿拉善左旗吉蘭泰鹽池到山西吕梁市磧口鎮的運鹽駝路，五原縣、臨河區一帶各大幹渠的運糧水道，杭錦旗、達拉特旗的甘草馱運綫，鄂托克旗的運碱駝路。内蒙古段各條支綫以供貨爲主，山西段若干支綫以運銷爲主。

《臨縣志》載：『清朝乾隆至民國年間，陝、甘、綏、蒙等地的物資，通過此航綫運達磧口，再用牲口馱運到離石、吴城，轉運至東路（汾、平、介、孝等縣）。據民國20年（1931）統計，每年從綏遠磴口航至磧口的貨船不下4000餘艘』，『是陝、甘、綏、寧與晋西北物資集散之重鎮』。[十七]可見，内蒙古在甘肅、寧夏與陝西、山西等沿黄上下游物資交易中起到了重要的聯結作用；同時也吸引了山西、陝北、河北、山東、甘肅等地的農民遷移至此，并將開渠打壩、引水澆地等農業生産技術、手工技術和商業貿易經營方式帶到這裏。他們在此扎根，除了從事農業生産外，還挖甘草、下窑背炭、在黄河上拉船、在沙漠中拉駱駝、打短工放冬羊、開碾磨油坊，等等。不同地域、不同民族的人們合力修築河渠、引水興業，逐漸形成休戚與共的共同體。其間積纍的産品交易、商業管理、社會治理等方面的經驗，在今天依然有借鑒意義。

清代『首重治河，探河源以窮水患』[十八]，但更深層次的考量是『宣揚大一統及增强國家認同』[十九]。黄河流域人口基數大、分布廣，而全流域治理理念將不同地區、不同民族的人們凝聚成命運共同體，而『大一統』理念正是這一治理實踐的核心主題。

三、黄河流域拓展了中國的發展空間

早期統治者因巡幸及邊防建設所需，統籌管理沿黄河運與秦直道等沿黄馬道，維持着中央政府對北邊的有效治理。河套平原引黄渠道的建設爲秦漢王朝屯田事業提供了基本的水利保證，并將這些區域變成防禦北部邊患的大後方與根據地。于是，沿黄馬道、沿黄河運與萬里茶道、草原絲路等陸路運輸聯通起來，促進了中華文明與其他文明的交流互鑒，拓展了新的發展空間。

新中國成立之後，沿黄各族兒女在中國共産黨的領導下團結合作、艱苦奮鬥，實現了大河安瀾。黄河流域建立起行之有效的防洪抗汛機制，支撑着沿岸的産業發展，改善了周邊生態環境。當代治黄史證明，正是由于中國共産黨的正確領導以及集中力量辦大事的制度優勢，纔從根本上減輕了河患的威脅。進入新時代，黄河流域在築牢安瀾根基的同時，以蓬勃活力拓展着中國的發展空間。沿黄九省區在協同發展中不斷釋放潛力，讓黄河流域成爲國家區域協調發展戰略中不可或缺的重要一極，爲中國的發展源源不斷地注入新動能。

綜上所述，黄河流域的治理不是單純的河道治理、生態環境治理或社會治理，而是一種關涉水、沙、産、人四者關係的系統性、協同性治理，是推動國家可持續發展的動力，也是厘清國家治理與邊疆治理兩者動態交互實際效果的絶佳視角。而黄河工程等『中國本土理論資源、學術積纍』〔二十〕，有助于研究國家治理的演進歷程。進入新時代，黃河治理與國家治理的關係研究不斷開闢新視角、持續涌現新成果，其中鑄牢中華民族共同體意識、邊疆治理與黃河流域生態保護和高質量發展成爲非常重要的研究視角。因此，基于這一角度搜集整理黃河國家治理文獻，意義重大。《黃河國家治理文獻集成》，應運而生。

本叢書系統梳理了黃河治理的歷史脉絡與經驗，既爲新時代黃河流域生態保護和高質量發展提供了歷史鏡鑒，更以文獻爲載體，傳承了治理智慧、凝聚了民族力量，是服務國家發展戰略、鑄牢中華民族共同體意識的重要學術實踐。

《黃河國家治理文獻集成》編委會

二〇二五年一月

〔一〕韓建業：《中華文明的起源和形成》，載《中華民族共同體研究》2022年第4期，第80-91+172頁。

〔二〕中共中央馬克思恩格斯列寧斯大林著作編譯局：《馬克思恩格斯選集》第二卷，人民出版社，2014年，第240頁。

〔三〕嚴文明：《黃河流域文明的發祥與發展》，載《華夏考古》1997年第1期，第49-54+113頁。

〔四〕（漢）班固：《漢書》卷二十九『溝洫志第九』，中華書局，1964年，第1692頁。

〔五〕（漢）司馬遷：《史記》卷六『秦始皇本紀第六』，中華書局，1963年，第252頁。

〔六〕冀朝鼎：《中國歷史上的基本經濟區與水利事業的發展》，朱詩鰲譯，中國社會科學出版社，1981年，第7頁。

〔七〕（漢）司馬遷：《史記》卷二十八『封禪書第六』，中華書局，1963年，第1398-1399頁。

〔八〕（漢）司馬遷：《史記》卷三十『平準書第八』，中華書局，1963年，第1441頁。

〔九〕（漢）班固：《漢書》卷二十九『溝洫志第九』，中華書局，1964年，第1686頁。

〔十〕（漢）司馬遷：《史記》卷二十四『樂書第二』，中華書局，1963年，第1178頁。

〔十一〕（漢）司馬遷：《史記》卷三十『平準書第八』，中華書局，1963年，第1420-1421頁。

〔十二〕（清）方家駒修，（清）王文員纂：《汾陽縣志》卷十三『藝文』，清光緒十年刻本，第57-58頁。

〔十三〕王華棠、劉錫彤、吴樹德：《黄河中游調查報告》，華北水利委員會編印，1934年，第1頁。

〔十四〕（漢）司馬遷：《史記》卷十五『六國年表第三』，中華書局，1963年，第758頁。

〔十五〕王利器：《鹽鐵論校注》，中華書局，1992年，第28頁。

〔十六〕綏遠通志館：《綏遠通志稿》第十册，内蒙古人民出版社，2007年，第176頁。

〔十七〕臨縣志編纂委員會：《臨縣志》，海潮出版社，1994年，第273、321頁。

〔十八〕趙爾巽等：《清史稿》卷一二六『河渠一』，中華書局，1977年，第3715頁。

〔十九〕劉惠：《乾隆朝重構黄河河源的實踐與國家認同》，載《清華大學學報》（哲學社會科學版）2018年2期，第147-154+195頁。

〔二十〕許耀桐：《當代中國『治理』概念的演進探析》，載《國家現代化建設研究》2023年3期，第100-111頁。

出版前言

黄河，中華民族的母親河，她不僅孕育了中華文明，更見證了中華民族數千年的發展歷程。習近平總書記深刻指出：『從某種意義上講，中華民族治理黄河的歷史也是一部治國史。』這一重要論述，爲新時代黄河文化的保護傳承以及流域治理提供了根本遵循，也深刻揭示了黄河治理在國家發展和民族復興進程中的核心地位。在學習貫徹習近平新時代中國特色社會主義思想，積極響應國家黄河流域生態保護和高質量發展重大戰略，大力推進北疆文化建設的背景下，《黄河國家治理文獻集成》的編纂出版，具有重要的歷史意義、學術價值與現實指導意義。

黄河治理，自古以來就是國家的頭等大事。從遠古時期大禹治水，到當代運用科學技術進行系統治理，中華民族在數千年的時間裏，積累了豐富的治河經驗，留下了浩如烟海的文獻遺産。《黄河國家治理文獻集成》收録了元代至民國時期古籍、朱批奏摺、期刊圖片等多模態文獻資源。這些文獻内容豐富、維度多元，既包含記載河工技術、治理方略等的專書，又有漢文朱批奏摺、工程檔案以及不同區域的調查研究報告等。民國時期的文獻則標志着現代水利科學開始融入黄河治理，展現了我國水利事業在時代變革中的創新與發展。近代照片的收録則以更加直觀的方式將黄河治理、黄河沿岸的風貌呈現給讀者。

該文獻的出版，不僅是對瀕危黄河文化遺産的及時搶救與保護，更是對我國水利史、國家治理史、邊疆治理研究學術鏈條的重要補充，具有較高的文獻價值和學術意義。尤爲重要的是，這一集成工作，深度契合鑄牢中華民族共同體意識這一全黨全國各族人民的共同任務。各民族在治理黄河的歷史進程中，緊密協作、共同探索，這些珍貴文獻便是各民族交往交流交融和中華文明認同的生動見證。對這些文獻進行整理出版，能够讓各族人民更加深刻地認識到，在歷史長河中，各民族共同爲黄河治理貢獻了力量，共同守護了家園，從而進一步增强對中華民族共同體的認同感與歸屬感，夯實鑄牢中華民族共同體意識的歷史根基。

《黄河國家治理文獻集成》以『國家治理』爲核心綫索，構建起一個全面、系統、多維的文獻體系：在時間跨度上，聚焦從元代至民國這一傳統治河向現代水利轉型的歷史時期，爲深入研究我國水利事業的發展脉絡提供了清晰的時間坐標；在内容分類上，細緻劃分爲技術專著、工程檔案、區域研究、朱批奏摺、科學報告、圖片等類别，涵蓋黄河治理的各個方面，從不同角度展現了我國在黄河治理上的探索與實踐；在版本選擇上，秉持嚴謹、科學的態度，確保文獻内容的準確性與代表性，爲學術研究奠定堅實基礎。

在編纂過程中，叢書特别注重『全流域治理』的理念，不僅收録了有關下游防洪治河的重要文獻，還涵蓋了中游地區水土保持以及上游地區灌溉開發等方面的珍貴記載。這種對黄河全流域治理的全方位關注，與當前『共同抓好大保護，協同推進大治理』的要求高度契合，充分體現了叢書在傳承歷史文化遺産的同時，緊密服務于當代國家發展戰略的時代價值。

在出版過程中，嚴格保持原書的版式與行款，最大程度地還原文獻原貌。對于部分出現黴變、殘缺的頁面，運用先進的數字化修復技術進行精心處理，在保留原始批注與印章痕迹的基礎上，兼顧了文物的真實性與文獻的可讀性。

此外，爲了更好地服務讀者，方便學術研究，本叢書新增了目録、提要等内容，這些新增部分由編委會精心撰寫。新增目録一般編製二級，個别圖書編製三級；原書有目録而内文無對應標題的，根據原書目録照録；原書目録爲關鍵詞或者其他情况的不編製目録；原書目録與内文不一致的，以原書内文爲準；原書無目録的，按卷端、版心或其他部分輯録；一册書中收録多種圖書的，以書名爲一級標題，編製二或三級。在文字使用上，統一使用現代漢語規範繁體字，對于原版文獻中的异體字、避諱字也使用現代規範繁體字，無對應規範繁體字的保留原字。

《黄河國家治理文獻集成》的出版，是對黄河文化遺産的一次系統性、搶救性保護，具有重大而深遠的現實意義：從學術價值層面來看，叢書成功構建起一座連接傳統與現代治黄文獻的橋梁，爲黄河流域生態保護、水利工程史、國家治理史、邊疆治理、中華民族共同體學等多個領域的學術研究提供了豐富、翔實的基礎文獻，有力推動了相關學科的發展與創新；從文化價值角度而言，生動展現了北疆文化與黃河文化在歷史長河中的交融共生，爲内蒙古『北疆文化』品牌建設提供了堅實的文獻支撑，進一步豐富了中華文化的内涵與外延；從實踐價值方面考量，書中所藴含的治河理念爲我們在新時代背景下實現人與自然和諧共生、推動黃河流域可持續發展提供了寶貴的歷史經驗與智慧啓示。

在此，我們要衷心感謝各藏書機構的大力支持，正是他們提供了珍貴底本資源，纔使得本叢書的編纂出版成爲可能。同時，我們也要向文化遺産智能應用服務中華民族共同體建設『英才興蒙』團隊致以崇高的敬意，他們歷經五年的辛勤耕耘，以嚴謹的治學態度和專業的學術素養，對文獻進行了系統的整理和輯録，爲叢書的内容質量提供了堅實保障。此外，我們還要特别感謝内蒙古自治區黨委宣傳部、内蒙古出版集團將本叢書納入『北疆文庫』重點項目，并在出版過程中給予全方位支持與幫助。

我們衷心期待，這套凝聚着無數心血與智慧的《黃河國家治理文獻集成》，能够在新時代的『黃河大合唱』中奏響歷史的强音，爲黃河流域生態保護和高質量發展注入强大的歷史動力，讓黃河文化在保護中傳承，在傳承中創新，在創新中不斷發展，綻放出更加絢爛的光彩。同時，希望這套叢書能够成爲促進各民族文化交流、鑄牢中華民族共同體意識的重要載體，助力各民族更加緊密地團結在一起，共同爲實現中華民族偉大復興的中國夢而努力奮鬥，讓中華民族共同體意識在黄河文化的滋養下，扎根于每一位中華兒女的心中，成爲推動中華民族不斷前進的强大精神力量。

提　要

《清代漢文朱批奏摺黄河治理資料輯録》共10册，收録清代康熙四十四年（1705）至咸豐三年（1853）關于黄河治理的漢文朱批奏摺1000件，以時間爲序編排，每篇奏摺均保留朱批痕迹，真實呈現了清代黄河治理的決策與執行過程。

所收録的奏摺内容包括工程實踐（如堤埽、堤壩與河道工程的修建和維護）、防汛體系（如水情監測、灾情預警與應急響應）、綜合管理（如河道管理、跨區域協調、物料與經費管理、漕運管理）、治河制度與管理機制、灾害影響及灾民撫恤等。

第一册收録康熙四十四年（1705）至雍正七年（1729）的100件奏摺。第二册收録雍正七年（1729）至乾隆二十年（1755）的120件奏摺。第三册收録乾隆二十年（1755）至乾隆三十八年（1773）的130件奏摺。第四册收録乾隆三十九年（1774）至乾隆四十六年（1781）的110件奏摺。第五册收録乾隆四十六年（1781）至乾隆五十二年（1787）的110件奏摺。第六册收録乾隆五十三年（1788）至清嘉慶六年（1801）的100件奏摺。第七册收録嘉慶六年（1801）至嘉慶二十二年（1817）的90件奏摺。第八册收録道光三年（1823）至道光十六年（1836）的60件奏摺。第九册收録道光十六年（1836）至道光二十五年（1845）的80件奏摺。第十册收録道光二十五年（1845）至咸豐三年（1853）的100件奏摺。

目録

五七一

奏

暫署陝甘總督山西巡撫臣勒保跪

奏爲遵
旨據實覆
奏事竊臣接准大學士和珅字寄乾隆五十二年
十二月二十二日奉
上諭此次年班朝覲之回子伯克等到京遲延現在
詢之帶領回子伯克之副將恒通參將祥保據稱
行至潼關地方值河氷凍結繞道四日改由孟津
渡河由河南一路行走又不知回子伯克等應於
十二月二十日到齊二十一日帶領瞻覲以致遲
緩前在潼關時曾將改道孟津緣由稟報勒保已
延三等語此次年班回子伯克等在潼關地方值

河氷凍阻繞道行走既經該副將等禀報勒保巴
延三何以該督撫俱未具奏即該副將等不知年
例回子伯克等應於十二月二十日到齊豈該督
等亦未之知並不飭令上緊儹行勒保巴延三何
漫不經心若此除已交部察議外著傳諭勒保巴
延三即將該副將等是否曾經報明及該督等因
何不行具奏飭令儹行之處據實迴奏將此諭令
知之欽此遵
旨寄信前來伏查上冬年班回子伯克等進京臣因
叅將中柱曾經伴送過伯克差務係屬熟手隨
派令協同叅將祥保分起護送旋因頭起伯克
鄂斯滿奏
旨馳驛遄行沿途應須妥員照料臣隨改派中柱先
送鄂斯滿前進另派副將恒通赶赴西安接替
將伯克等妥爲護送並諄諭恒通祥保等沿途
赶緊行走務於十二月二十日以前到京嗣於
十二月十三日接據恒通等在潼關途次禀報
伯克等於初二日抵潼關適黃河氷凍不能過

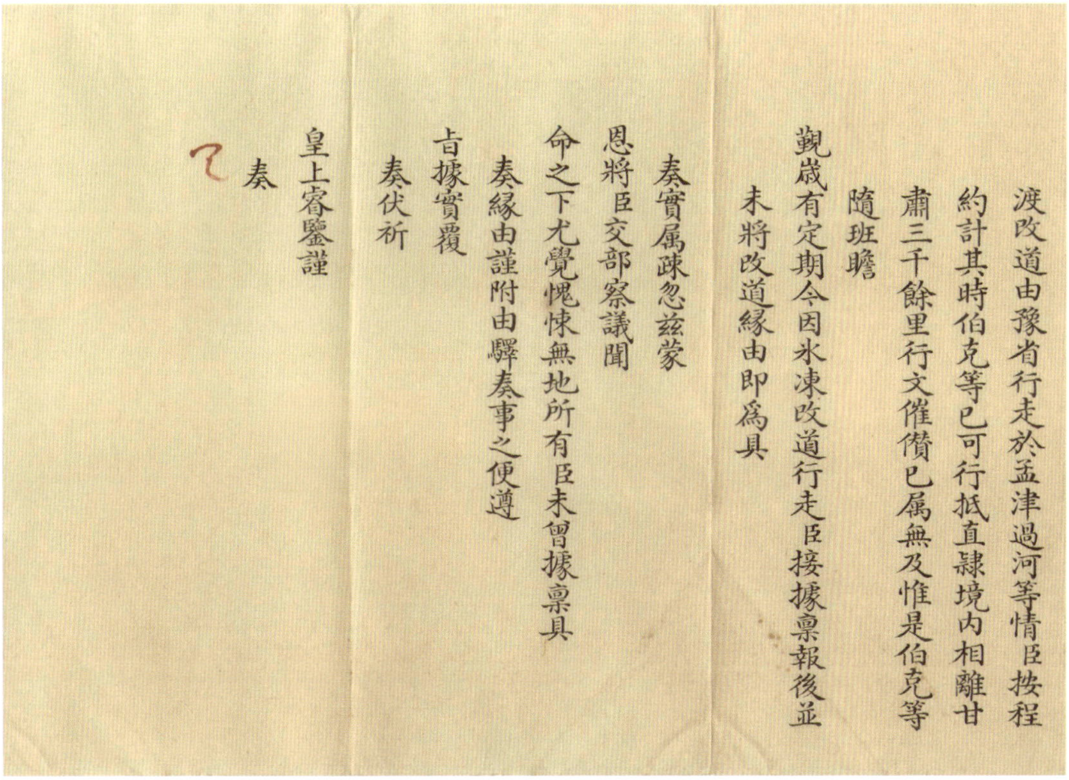
渡改道由豫省行走於孟津過河等情臣按程
約計其時伯克等已可行抵直隸境内相離甘
肅三千餘里行文催儹已屬無及惟是伯克等
隨班瞻
覲歲有定期今因氷凍改道行走臣接據稟報後並
未將改道緣由即為具
奏實屬疎忽茲蒙
恩將臣交部察議聞
命之下尤覺愧悚無地所有臣未曾據稟具
奏緣由謹附由驛奏事之便遵
旨據實覆
奏伏祈
皇上睿鑒謹
奏

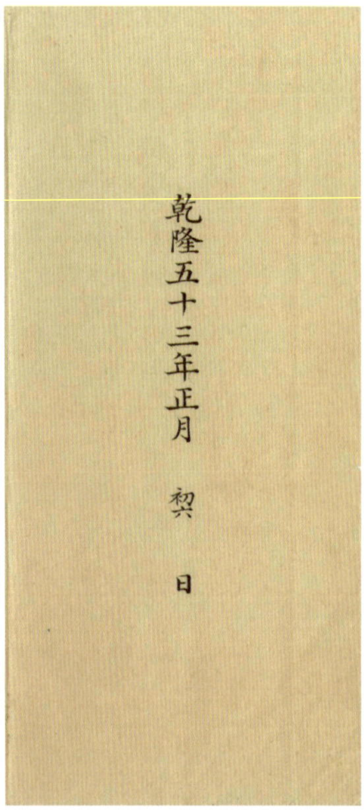
乾隆五十三年正月 初六 日

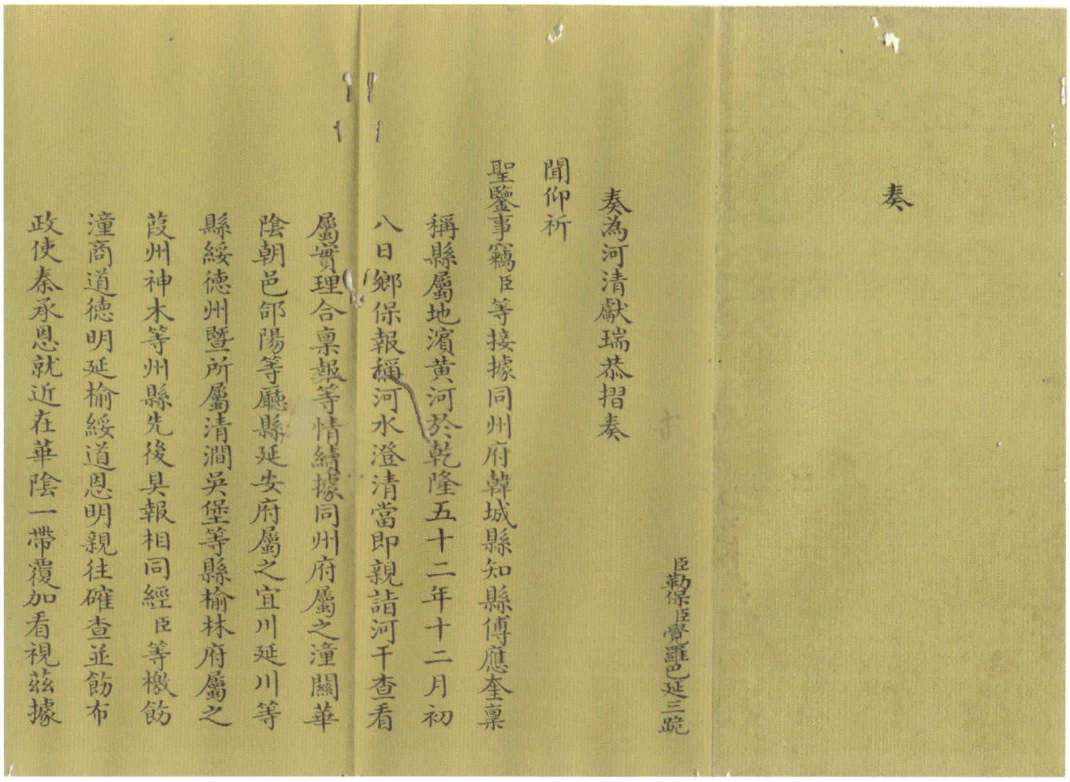

奏

臣勒保臣覺羅巴延三跪

奏為河清獻瑞恭摺奏

聞仰祈

聖鑒事竊臣等接據同州府韓城縣知縣傅應奎稟
稱縣屬地濱黃河於乾隆五十二年十二月初
八日鄉保報稱河水澄清當即親詣河干查看
屬實理合稟報等情續據同州府屬之潼關華
陰朝邑郃陽等廳縣延安府屬之宜川延川等
縣綏德州暨所屬清澗吳堡等縣榆林府屬之
葭州神木等州縣先後具報相同經臣等檄飭
潼商道德明延榆綏道恩明親往確查並飭布
政使秦承恩就近在華陰一帶覆加看視茲據

查明各廳州縣境内河水自十二月初八日起
至二十八九等日實係清澈異常稟覆前來臣
等查自神木縣至潼關廳共十二廳州縣計長
一千三百餘里自十二月初八日至二十八九
等日計河水澄清二十餘日實爲從古稀有之
嘉祥凡屬官吏軍民無不歡欣鼓舞欽惟我
皇上
道契苞符
化臻熙洽
八方在宥風隆
位育之功
六府惟修共仰
懷柔之績惟率土咸登康阜斯洪流亦著澄清行在
地中
潤澤久霑夫
帝德來從天上誠和默迓夫
神庥慶紀
羲圖輝騰

禹甸臣等躬逢
盛世近挹
榮光欣聞海澨波恬幺麿盡掃快覩河防工蔵
上瑞旋徵偕五老以來遊共對沙明水淨效
三多之獻祝長依
雲縵日華所有臣等歡忭下忱理合繕摺奏
聞伏乞
皇上睿鑒謹
奏

賀之語俱不應有此無之語俱不應有此而此耍頌不知愧矣

乾隆五十三年正月　初　日

五七三

奏

河東河道總督臣蘭第錫
河南巡撫臣畢沅 跪

奏為黃河北岸灘面窪形應辦民壩倒溝懇請借
項辦理并酌量加修大堤戧壩仰祈
聖鑒事竊查黃河北岸黃沁上北兩河廳所屬武陟
滎澤原武陽武封邱各縣境內大堤距河頗遠
近者十餘里遠者二三十里灘面甚為廣濶每
逢長水出槽河唇一帶首先受淤停積較厚及
至近堤水漸澄清停淤稍薄是以近堤之灘比
臨河之灘頗為低窪向係沿河民夫在於灘面
溝槽抬築土格以資攔截並於堤根酌修土壩
以備挑護五十二年五六月間沁黃並漲普律
漫灘一望汪洋消退稍遲直至冬月尚有積水

總因南高北窪分洩較難且上游武陟縣境内河灘刷有窪形水勢長至三四尺即有漫灘之水由窪形串注直至封邱境内荆隆壩工歸入大河計長一百七十餘里必須攔截疏消以免分流為患臣蘭第錫於去歲十二月内前赴該處臣畢沅飭委開封府知府趙載元隨同至彼與該道唐侍陛及該廳等逐細勘議應於上游窪灘首先進水之處修築寬長土壩外加防風以截來源迤下間段多修土格層層堵截不使通流又恐盛漲之水隨處漫灘串及堤根必須廣籌去路應於灘面斜挑倒溝支渠俾積水分路歸河易於疏消且可冀倒漾受淤至兩廳大堤應須間段擇要加培土戧添接挑壩以期挑護得力隨令該道府等分别詳細估計去後兹據估報前來臣等往返札商覆加確核共計加修民壩土格大小七十九道挑挖倒溝支渠六道估土五十二萬七千一百餘方查係民夫應行抬築之工臣蘭第錫履勘時沿河士民亦俱

歡欣樂辦但土方為數較多且勸民之工究無
責成恐有延悮臣等公同熟籌前項土方估需
銀四萬八千七百餘兩仰懇
皇上天恩俯准先借司庫銀兩委派河北附近各縣
分投領辦事竣即於河北二十五縣分作二年
攤徵歸款為數無多於民力無礙而工程亦得
實濟至大堤幫戧築壩各工估土一十九萬六
百餘方按照取土遠近核實估計方價需銀二
萬八千三百八十餘兩即請動用司庫銀兩委
員辦理臣蘭第錫俟興工後親赴該處往來督
催統限大汛以前一律完竣以期有備無患除
飭該道等造具確估細冊分別
題咨外所有臣等籌辦北岸河灘民壩倒溝及加
修堤工戧壩各情形理合會同恭摺具
奏伏乞
皇上睿鑒謹
奏

該部速議具奏

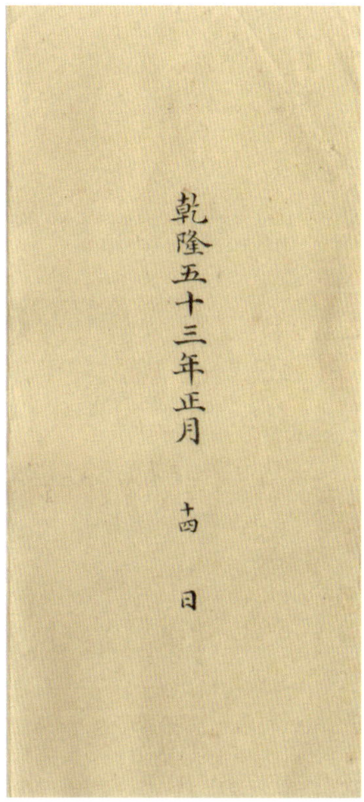
乾隆五十三年正月　十四　日

五七四

奏

河東河道總督臣蘭第錫跪

奏為請裁黄河巡船撤兵歸伍以昭核實事竊查豫東黄河於乾隆四年前任河臣白鍾山奏稱兩岸村落稀少墩鋪未設商民船隻絡繹往来南北貨物堆垛充盈請照江南安設巡船之例分設巡船派兵遊巡經兵部議覆河南南北兩岸准其各設巡船兩隻山東曹單二縣設巡船一隻每船派兵十名令其遊巡即於各鎮額兵内挑選抽撥等因並經工部咨覆前船係配撥兵丁交與營汛巡查應照内河戰船修造年限之例扣明辦理等因遵行在案臣履任以来時加查察豫省共設四船係南陽河北二鎮派兵

四十名，西自澠池縣東至虞城縣上下遊巡，每
隻僱覓舵工一名，外水一名，每名工食銀六錢，
在於存公耗羨項下動支。山東設立一船，係曹
單二營派兵十名，在本境巡察。其船隻損壞之
時，豫省則係沿河州縣公同捐修，東省於乾隆
四十四年前河臣袁守侗
奏明修理一次，今又屆大修之期，例應臣
奏請動項修理。臣伏查豫東黃河挾沙而行，水性
猛悍，伏秋之長，發靡常，冬令則氷凌流澌，船隻
易於損壞。其往來載貨之船，祇有雙桅行船，土
人名為西河牛，體骨既大，水手亦多，易於防範，
別無客座船隻，與江南河道窄狹，通連湖河，運
道船隻大小不一，易於藏奸者，迥不相同。況自
澠池至虞城河道長至一千二百餘里，非五隻
巡船所能周遍巡緝，多年以來，未聞巡船緝獲
一匪，救濟一船，而船隻應修之時，地方官遲延
諉卸，徒費周章。復查沿河兩岸渡口甚多，皆係
地方官各按疆界差役，稽查即責令巡邏河道

亦屬甚便似無庸留此巡船徒致有名無實且營兵五十名既經派巡即不能專心差操亦覺虛糜糧餉臣再三思維應請將巡船五隻一併裁汰交與地方官變價充公其派巡之兵交與各營收伍差操庶使州縣無捐墊修船之事而營兵有循名責實之益臣愚昧之見是否有當理合恭摺具

奏伏乞

皇上睿鑒訓示謹

奏

所奏是該部議奏

乾隆五十三年正月　二十五　日

五七五

奏

河東河道總督臣蘭第錫跪

奏為查勘黃河工料情形恭摺奏

聞事竊臣於正月二十八日自濟起程由單縣上堤先查曹單堤工因上年伏汛處處水至堤根今年歲修土工最為緊要經撫臣長麟檄飭曹州府知府吳忠誥督率印河各員加培修築頗為認真臣隨渡河由南岸挨查而上睢州十三堡新工挑水壩挑護得力大溜由引河北岸行走冲刷寬展挑水壩下露出淤灘壩工極為穩固其添修圈堤幫築戧壩各工去歲深冬土凍暫令停工春融後委員分投接辦該道陳文緯駐工督催不遺餘力臣履勘南岸後由滎澤渡河

覆查黄沁上北兩廳土格戧壩及倒溝等工先
經臣等奏請分别借項辦理荷蒙
俞允即經撫臣畢沅派委知縣十五員協同河工廳
營分段領項趕辦并委該管知府布顔德昌隨
同該道唐侍陛駐工稽查不使稍有偷減草率
至南北兩岸堤工綿長或因大河溜勢遷移距
堤不遠或因上年大汛漫注堤根水痕稍深經
該道廳等詳細勘估稟請加修臣逐一履查并
與撫臣悉心商酌擇其緊要之處動用道庫額
設河夫銀兩檄委河員暨沿河州縣分投興辦
入於搶修項下彙銷併令該管知府趙載元歸
朝煦等隨同督催查察以期工歸實在其各廳
預備料物臣每到一工親督委員點查垛數丈
量尺寸俱屬足數結實現在堆貯各工櫛比崇
墉不敢稍任捏混再查東省微湖閘口已於二
月十二日啟放自八閘至江境水勢俱極充裕
浙省守凍回空糧船已於十六日全出東境南
糧重運尚未抵東現值桃汛之期河水不時增

長臣仍往来各工督率修防以期工程有益所
有查明黄河各廳工料情形擬合恭摺具
奏伏乞
皇上睿鑒謹
奏

乾隆五十三年二月二十七日

五七六

奏

河東河道總督臣蘭第錫
河南巡撫臣畢沅 跪

奏為桃汛已過黄河水勢安瀾恭摺奏
聞事竊照黄河以清明後二十日内為桃汛之期正
汛水長發之時臣等預飭道廳營汛分駐埽壩
加意修守並將緊要處所派員協同巡查去後
茲據各道廳報稱自二月二十八日清明起至
三月十八日止陸續長水五尺七寸至七尺不
等均係隨長隨消各處埽壩間有平墊單矮及
舊埽朽腐之處俱即分別加鑲折修樽節辦理
一律平穩等情臣等周歴兩岸逐一查驗所有
睢州十三堡大壩以上挑水壩以下露出淤灘
益覺寬厚引河大溜行走北岸衝刷日見寬深

臣等仍將北岸灘面向東溝渠抽挑疏瀹俾大
汛時去路更廣以資分洩至南北兩岸加幫大
堤堵築溝槽各項工程分委道府大員按段催
查務於大汛以前一律妥竣臣等親身驗收不
敢稍任遲延草率所有黃河桃汛已過水勢安
瀾緣由謹會同恭摺具
奏伏乞
皇上睿鑒謹
奏

知道了

乾隆五十三年三月　十八　日

五七七

奏

江南河道總督臣李奉翰跪

奏為恭報桃汛水勢工程平穩情形仰祈

聖鑒事竊照桃汛為三汛長水之始一切工程上年汛水汕刷之後春修最關緊要查徐屬上游六廳黃河兩岸埽壩臣於去冬乘埽底顯露時先經

奏明將殘埽段落預為擇要估修堅實以資抵禦其餘各處埽土等工仍照舊定章程委令叅將遊擊等分別緩急確切估計臣督同徐揚兩道先後覆勘核實造册詳定春融後即飭各該廳營照估次第修整并與督臣往來查驗不使稍有率忽其黃運河湖水勢桃汛内有長有消自

二月二十八日清明起至三月十八日徐城黄
河誌樁長水六尺七寸外河老壩口誌樁連底
水長至一丈三尺二寸洪澤湖内高堰誌樁存
水四尺三寸暢出清口直至彭家馬頭迤下會
黄順流東注淮揚運河自運口三閘以至江口
水深六七八尺至一丈三四尺不等邳宿桃清
運中河内東省放壩鋪水之後臣將銅沛廳屬
茅家堤鉗口壩飭令淮徐道於三月初一日啟
放引水入運水勢加長上自黄林莊交界起下
至楊家莊運口水深五六尺至八九尺一丈不
等重運漕船渡黄北上者已有一千一百二十
餘隻遄行無滯頭進幫船業於三月十二日儧
出江境較上年計早二十八日目下桃汛已過
各工平穩往後伏汛踵臨臣惟有恪遵
睿訓常存敬畏時刻留心相機慎重料理以仰副
聖主廑念河防之至意所有桃汛水勢工程平穩情
形除恭疏
題報外謹會同兩江督臣書麟繕摺具

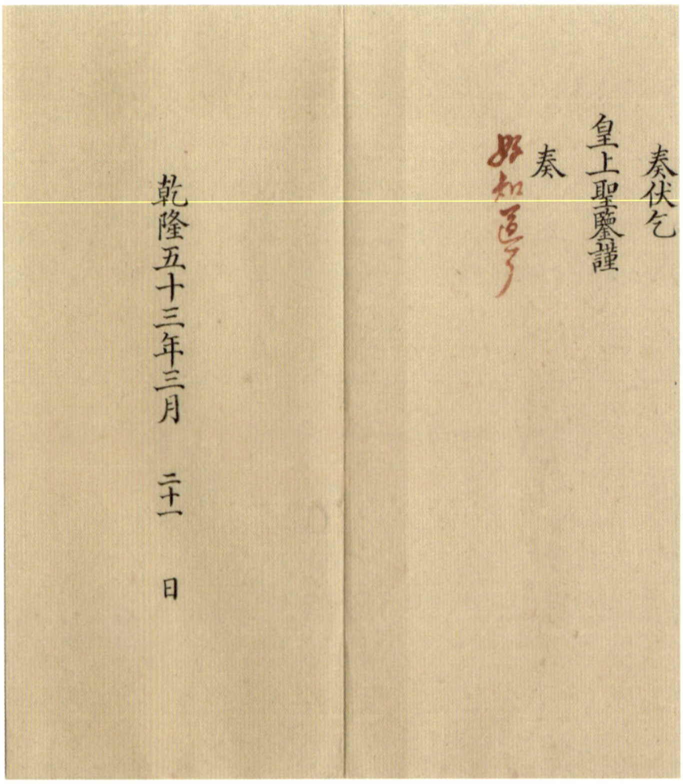

奏伏乞
皇上聖鑒謹
奏
好知道了
乾隆五十三年三月　二十一　日

五七八

奏

河東河道總督臣蘭第錫跪

奏為查明黄河工程情形恭摺奏

聞事竊臣於六月初一日起程赴豫前經具

奏後即赴曹單堤工查勘歲修工程適撫臣長麟

泒委濟東道廣厚赴工查察臣面晤之下據稱

各工均尚如式臣即由單縣過河由南岸挨查

而上查睢州下汛十三堡去歲添修圈堤並挑

水壩後戗各工因冬月土凍停工春融接辦今

已完竣臣按冊驗收一律鞏固足資抵禦其蘭

陽儀封睢州上汛暨寧陵商邱各汛俱有新堤

上年大汛漫注堤根水痕稍高又鄭州中牟祥

符虞城各汛舊堤因盛漲之後河溜遷移間形

卑薄經該道廳等勘估請修臣與撫臣畢沅酌
商動用道庫河夫銀兩撥委河員暨沿河州縣
分投興辦本年二月內附摺奏明
聖鑒令臣按段勘驗俱已修築堅整統計加土三十
五萬餘方並無偷減草率至北岸黃沁上北兩
廳因去歲漫灘水大浸注堤根經臣等奏請加
培大堤并於灘面多築土格土壩挑挖倒溝分
別借項辦理接奉部覆荷蒙
俞允撫臣畢沅即派委知縣十五員協同河廳分段
趕辦據報次第完工臣率同開封府知府趙載
元都司裴尚有等連日履勘高寬丈尺均與原
估相符錐試亦無滲漏間有稍不合式之處責
令重加修築其原估河形土壩之外擇要酌加
防風亦俱鑲修整齊現在黃河水勢增長無多
新舊各工俱各平穩所有蘭陽十四堡從前最
險之壩工自上年對岸李六口挑挖引河後大
溜東趨十四堡頭壩二壩埽前串水停淤極為
穩固惟迤下儀封三堡毛家寨一帶堤身稍覺

兜灣曾於五十一年七月内蒙
皇上按圖指示應於該處添做挑水壩工其時尚可
緩辦經臣覆奏在案令自四月後溜勢南趨該
道陳文緯稟商撫臣派委知府趙載元會勘酌
議將原有之四壩加培接長用料累護並於二
堡夾空中間添做第五道土壩長六十丈現在
河流已近修做門埽及上下雁翅等埽挑溜北
趨頗為得力謹將該處情形繪圖貼説恭呈
御覽臣與文武員弁及効力人員分駐工次晝夜防
範撫臣畢沅藩司景安亦不時到工並經派委
熟諳工程之附近州縣及沿河牧令一律駐工
協同巡防臣惟有謹遵
諭旨益加敬慎時刻小心務期處處周防以冀上副
聖懷所有查明黃河工程情形理合恭摺具
奏伏乞
皇上睿鑒謹
奏
已奏供丢

乾隆五十三年六月　十二　日

五七九

奏

臣書麟臣李奉翰跪

奏為伏汛水勢甚長各工搶護平穩情形仰祈

聖鑒事竊照南河自五月十八日以後淮黃水勢逐

日加長經臣等將拆展清口束清禦黃兩壩宣

洩并分投防護各緣由會摺奏

聞在案嗣准河南撫臣畢沅咨會六月十五六七等

日寧夏黃河内消後續長連前長至九尺三寸

滙流下注來勢湧驟臣等又經飛飭淮徐淮揚

二道并叅遊等督飭各廳營加謹防護並將黃

河分洩之路派委幹員住工巡防按誌料理并

飭下游各州縣預為防範旋據淮徐道師彦公

禀報徐城水誌於六月二十日長至一丈一尺

以外已符
奏定水誌即將唐家灣引河照例啟放由毛城鋪滚壩過水三尺五寸下注洪河以達睢河續據藩司康基田稟報毛城鋪過水後黄河水勢仍長無消徐城誌樁於二十一二等日已長至一丈二尺九寸盈堤拍岸勢甚浩瀚復將睢寧南岸之峯山四閘次第啟放各閘過水深六七八尺及一丈二尺不等分洩之路甚暢而黄河内上下各工仍多險要之處如睢南廳屬之謝家莊邳北廳屬之董家堂桃源廳屬之金家莊外河廳屬之順黄壩及湯董莊迤下之陳家莊山安廳屬之佃湖工均為溜勢趨逼或將舊埽衝蟄塌卸或將堤坡汕刷潰塌據報在在險要臣等隨帶同道將分投前往督率廳營上緊搶鑲保守而外河順黄壩一工大溜直射各段埽壩隨鑲隨蟄更關緊要查該處北岸玉皇閣引河上年曾經開放水落停淤本年經臣等
奏明委員挑去新淤以備大汛水長相機開放此

時伏水已經盛大臣等即令乘時啟放水勢暢
注大溜分趨同歸陶莊河尾會清東注順黄壩
一帶溜勢漸見平緩工已化險為平上游水勢
亦漸平定一切埽壩工程仰賴
皇上洪福現據搶護穩固不致續有蟄塌其潰塌堤
岸處所外面用柴摟護内加裡戧晝夜趕辦亦
可無虞連日察看黄河之水似有消動之勢惟
洪澤湖水每日加長二三寸不等高堰誌樁已
長至一丈六寸東清禦黄兩壩臣等督飭廳營
接手拆展東清壩口門已展寬至九十八丈禦
黄壩口門已展寬至一百二十五丈各令多用
鐵錨拉撈務期刨挖到底俾湖水悉由清口暢
出歸海并將山盱五壩派員嚴加防護凛遵堅
守五壩之
聖訓不使旁洩以保下河民田仰副
聖懷當此伏汛正旺之候臣等惟有倍加敬畏現在
分住要工上下策應嚴督在工文武各員慎重
巡防不敢稍存懈忽所有伏汛水勢盛長各工

搶護平穩情形謹合詞恭摺具

奏伏乞

皇上睿鑒謹

奏

以手加額覽之

乾隆五十三年六月　二十八　日

五八〇

奏

河東河道總督臣蘭第錫跪

奏為恭報南糧重運全入東境日期並查明微湖

水勢情形仰祈

聖鑒事竊查本年南糧漕船九十三幫據署運河道

羅煐報稱江西安福所尾船於七月初六日全

入山東黃林莊境較去歲尾幫入境計早十一

日等情臣查山東閘河今年水勢充裕船行無

滯惟衛河淺弱上厪

聖懷荷蒙

宵旰籌畫

欽派大臣調發撥船得以次第前進六月初旬以來

聖德感召雨澤優渥衛水大暢汶力亦足相敵臨清

板閘外箱口壩内東水刷沙出口甚順截至六月二十七日止出德州柘園境者三十五幫七月初三日止出臨清口者六十一幫七月初八日止過濟寧州者七十五幫濟寧以南袛有船十八幫六月二十六七及七月初三日夏鎮一帶雨勢甚大山水暴發彭口十字河停淤甚厚該道廳督率撈濬不致阻滯復查八閘至江境運河惟賴微山湖水源源接濟上年荷蒙

天恩

欽派侍郎明興來東會同臣及前道沈啟震等挑濬水利河渠微湖收水一丈二尺今春開壩起至六月底共消水二尺自得雨發水之後湖水已增長四寸今重運過竣臣飛飭該道廳將湖口閘閘板收蓄即將來回空南下仍須啟放總可收符定制以備下年之用所有南糧全入東境及微湖水勢情形臣謹循例恭摺由驛具

奏伏乞

皇上睿鑒謹

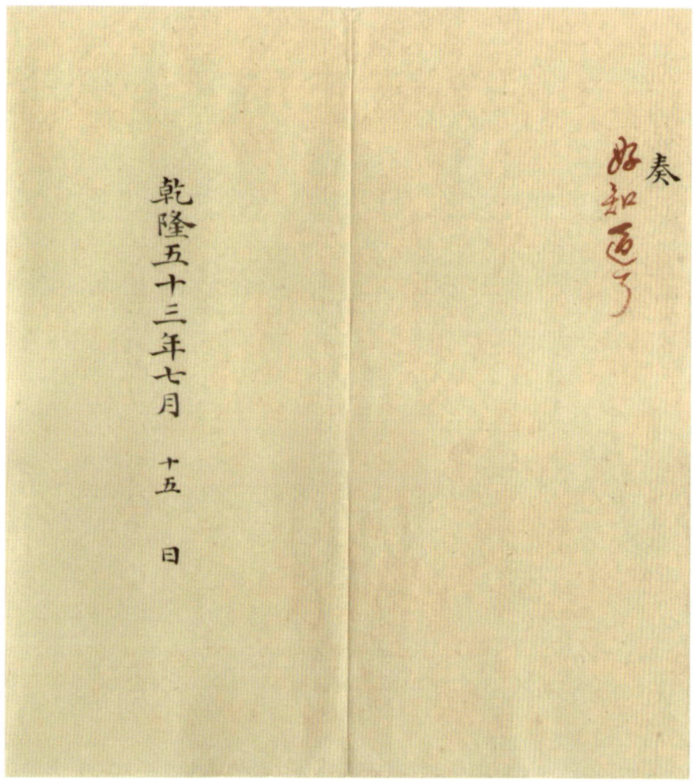

奏
好知道了

乾隆五十三年七月　十五　日

再查黄河水勢自七月初六日立秋後初七日陝州陡長三尺初八日沁河陡長三尺五寸下游各工均長水一二尺不等旋即消落現在逐日長落不過數寸工程一律平穩合併附陳謹

奏

知道了

五八一

奏

河東河道總督臣蘭第錫
署理河南巡撫臣梁肯堂跪

奏為欽奉
上諭查明
黄河神廟處所恭請
聖鑒事竊臣等接准禮部咨文欽奉
上諭前據書麟李奉翰奏黄河水勢於五月内陸續增長淮水来源亦復旺盛足以抵禦黄流暢達東注現在時屆伏汛各工平穩等語覽奏深為欣慰續又據蘭第錫畢沅奏南北兩岸各工於六月内長水自五六尺至八九尺不等皆於一二日後旋即消落舊有險工俱各搶護平穩現在伏汛安瀾工程鞏固尤為以手加額目下雖甫交秋令暑雨

漸少而秋汛方長尤應倍加敬慎朕與河工諸臣
當共矢此心但本年河流順軌運道深通自賴
神明佑助之力向來四瀆雖各有專祀而工所
黃淮河神廟每歲春秋未經官為致祭典甚闕焉自
宜時重明禋以昭靈貺所有江南及河東等處工
次建立
黃河神廟並江南清黃交滙地方所建
淮河神廟俱著於每年春秋二季官為致祭交該部
載入祀典並著翰林院撰擬祭文發往於致祭日
敬謹宣讀以崇功德而報神庥欽此臣等恭讀之
下仰見我
皇上敬
天勤民尊崇
河瀆之至意臣等職司水土恭逢報祀
盛典歡忭之餘彌切感悚遵查豫省黃河
神廟之建於北岸者二一曰武陟縣二舖營雍正
二年奉
敕建立

賜名嘉應觀一曰蘭陽縣板廠雍正六年奉
敕建立
賜名惠安觀乾隆四年及乾隆四十八年兩次奉
旨重修其建於南岸者二一曰中牟縣楊橋乾隆二
十六年奉
旨建立
賜名佑寧觀一曰睢州朱家寨乾隆四十九年奉
旨建立
賜名慶順祠以上四處廟貌巍煥丹碧輝煌允堪安
神錫福向係河工廳員逢時致祭未免簡畧今蒙
皇上定以春秋二次官為致祭載入祀典撰發祭文
所以感召庥佑嘉惠臣民者實為尋常意想所
不能及臣等謹請將
黃河神廟四處每年春秋上戊照府縣致祭
龍神之儀交地方官敬備祭品令管河河北二道
開封歸德懷慶三府率同丞倅州縣等官齋沐
致祭以仰副我
皇上秋祀明備水土奠安之至意臣等謹會同恭

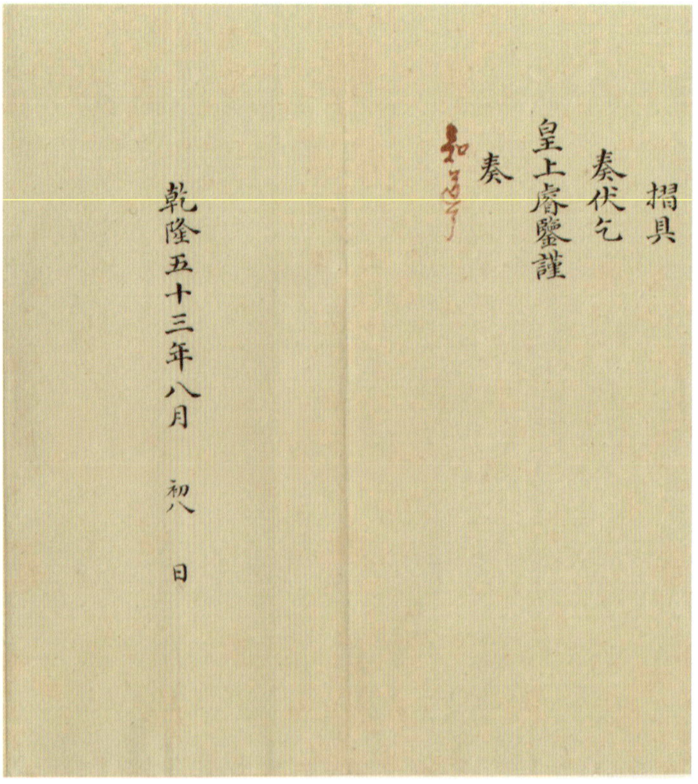

揭具

奏伏乞

皇上睿鑒謹

奏

知道了

乾隆五十三年八月初八日

五八二

奏

河東河道總督臣蘭第錫
署理河南巡撫臣梁肯堂跪

奏為節屆白露水勢安瀾工程平穩恭慰
聖懷事竊查豫東黄河立秋後長水一次旋即消落
其餘長落不過數寸經臣節次奏蒙
聖鑒嗣於七月二十一日處暑後二十五六至八月
初二日又長水二次連舊存長水各工均報積
長三四尺不等秋水洶刷如南岸中牟縣十堡
祥符縣黑堌工北岸祥符縣十二堡蘭陽縣銅
瓦廂各舊工間有蟄鑲均易為力至新河以下
儀封二三堡睢州上汛高家寨下汛十三堡各
新工段落稍長提坐無定經陞任撫臣畢沅同
臣蘭第錫派委留工前任道員蔣果前任通判

朱文炤并派知府趙載元歸朝煦及州縣効力
各官協同該道陳文緯等分段搶護務使應機
核實毋致幾微貽悮亦毋得稍涉張皇靡費臣
渠肯堂到任後飛飭原派各員照舊駐守不許
擅離以期防範周密至山東曹單一帶惟下汛
二堡挑壩著溜經撫臣長麟屢飭署曹州府知
府恩保及各縣等不時赴工協同該道高珞等
相機鑲護兼巡察平工均為詳慎今八月初八
日節屆白露水勢隨時長落祇在尺寸之間南
北各工一律穩固此皆仰賴我
聖主宵旰憂勤
睿謨廣運河流趨向埽壩機宜無時不上廑
慈衷
指示周詳是以感召嘉祥
神明賜佑得以安瀾有慶官民歡騰臣等屢奉
恩訓惟有督率各員諄諄告誡益加敬慎自秋分寒
甚是
露以至霜降不使一人大意不敢一時稍懈以
仰副

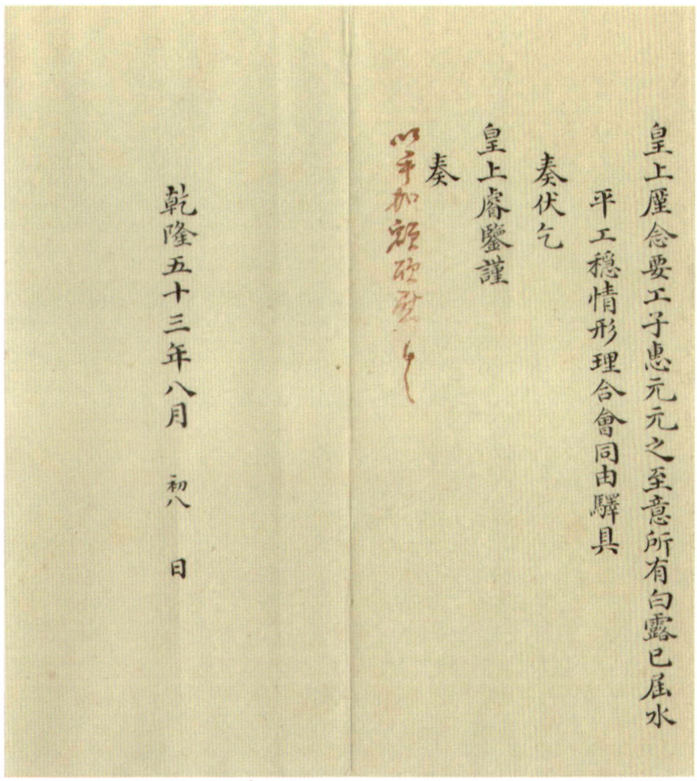

皇上廑念要工予惠元元之至意所有白露已届水

平工穩情形理合會同由驛具

奏伏乞

皇上睿鑒謹

奏

以手加額欣慰之

乾隆五十三年八月　初八　日

五八三

奏

河東河道總督臣蘭第錫
署理河南巡撫臣梁肯堂跪

奏為黃河水平工穩恭摺奏
聞事竊臣等前將白露安瀾情形會同恭摺奏蒙
聖鑒嗣於八月十五日據陝州又報萬錦灘陡長水
三尺下游各工均報增長一二尺不等秋氣已
深水力究為綿恬自是以後隨時長落不過數
寸之間秋水淘底各廳埽工掃灣側趨之處仍
有蟄鑲臣蘭第錫周歷各工逐加查察臣梁肯
堂委員分投勘驗均各鑲護平穩山東曹縣二
堡挑水壩外鑲做埽工隨經差查亦為挑護得
力現在節近寒露水落歸槽臣等密查舊料存
剩之多寡覆核工程之險易與該道府等悉心

安商以定預備下年料物數目臣蘭第錫因山
東回空緊要並應勘估挑工即由南岸並曹單
一帶挨查回東臣梁肯堂仍督率道廳文武照
舊防守務期共矢敬慎瀾澄工固以仰副
聖主奠安水土子惠元元之至意所有黄河水平工
穩及臣蘭第錫回東日期理合繕摺具
奏伏乞
皇上睿鑒謹
奏

欣慰覽之

乾隆五十三年九月　初五　日

五八四

奏

江寧布政使臣康基田跪

奏為奏明事竊臣前於伏汛前遵

旨赴淮徐一帶協防河工疊經黄水漲發各廳工程

在在險要臣與淮徐道師彥公等隨時設法修

護均獲平穩兹霜降將届黄水漸消日就綿弱

各工一律穩固咸慶平成足慰

聖慈廑念臣現於九月十三日回省料理地方事務

所有河水安瀾臣自工回省緣由理合恭摺奏

聞再查江屬民田自二麥豐登後雨水霑足秋禾

秋豆襍糧現已收穫據各屬禀報收成八九分

不等核計司總實八分有餘均屬豐稔惟江寧

府屬瀕江外圍及淮徐海三府州屬濱臨河湖

低窪地畝因雨水較多間有淹浸收成稍減臣
往来工次順道察看實在被淹地畝徐州府屬
之蕭縣碭山豐縣沛縣淮安府屬之安東清河
桃源山陽阜寧鹽城及海州等十一州縣各居
該境一二三分不等江寧府屬之江寧上元句
容江浦六合五縣各居該境不及十分之一臣
稟商督撫臣請將各屬被淹地畝新舊糧漕分
別緩徵現在糧價平減地方寧謐謹附摺恭
奏伏乞
皇上睿鑒謹
奏
知道了
乾隆五十三年九月　十六　日

五八五

奏

河東河道總督臣蘭第錫
署理河南巡撫臣梁肯堂跪

奏為黃河水長工平恭摺奏
聞事竊查豫省沿河各屬於九月初三日得雨後自
初六日午後起又得雨澤綿密優渥晝夜不停
至初十日辰刻方始止息黃河上游黃沁廳報
稱沁河於初九日陡長水三尺八寸鞏縣報稱
洛河於初十日陡長水二尺五寸下游各工自
初十日起至十三日止各報稱共長水四五尺
至七八尺不等較本年伏汛長水大小相等黃
沁上南一帶間有漫灘新河以下儀封睢州寧
陵商邱及曹單等汛漫水多至堤根其各處埽
壩間有平墊臣蘭第錫在睢州大壩臣梁肯堂

在祥符黑堽分投差弁傳諭印河廳營各官晝
夜小心防範緣寒露已過水力較弱各工料物
存貯充足應鑲之工相機加鑲均為穩固自十
二日起至十五日止已陸續消水三四尺不等
漫灘之水亦漸次歸槽計距霜降尚有十日仍
嚴飭道廳營汛及沿河州縣照舊駐宿工所實
力巡察小心防護臣蘭第錫於十六日自睢寧
商虞曹單一路挨查下游各工旋回運河經過
之處蕎麥棉花豆菜等項愈加穎栗暢茂已出
麥苗一望青葱未種之地尚俱紛紛播植比戶
盈寧民情深為歡慶謹將黃河水勢加長工程
平穩情形會同恭摺具
奏仰慰
聖懷伏乞
皇上睿鑒謹
奏
欣慰覽

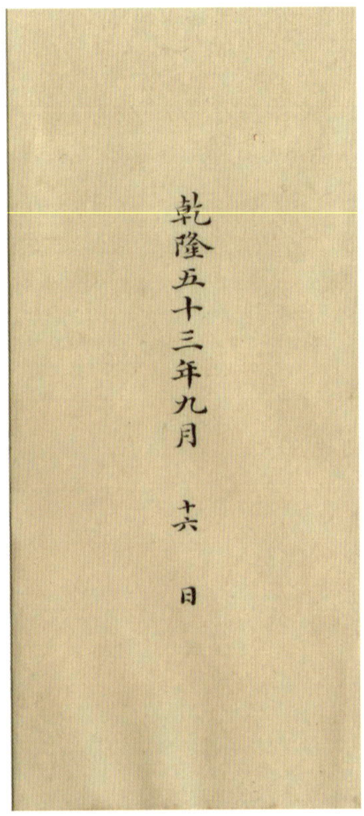

乾隆五十三年九月　十六　日

五八六

奏

臣書麟臣李奉翰跪

奏爲恭報南河秋汛安瀾情形仰慰

聖懷事竊照江南黄運湖河交秋後水勢之長落各

工之平險及臣等分投查勘督辦緣由節經會

摺奏蒙

聖鑒查黄河本年入秋以來因上游萬錦灘及沁河

内節次報長先後滙流下注徐城誌樁最大之

日長至一丈三尺八寸下游老壩工誌樁長至

一丈七尺七寸係屬黄河南岸之毛城舖天然

峰山等閘北岸茅家堤引河揚屬黄河北岸之

王營減壩李家莊等處先於伏汛内次第啟放

分洩大河水勢猶在盛長既驟且大大而且久

直至寒露節後又復陡長盈堤拍岸溜勢上提
下移趨向靡常兩岸埽工多已平水漫水在往
年水大普面漫灘今年黄河水勢雖比上年較
大而運中河之水亦屬旺盛加以清口暢出之
水會黄東注流行迅駛去路暢達上下河道悉
已刷深多未出槽惟無工處所塌崖潰堤之處
則不一而足臣等督同藩司康基田及道將等
分投晝夜搶護仰賴
皇上洪福均已化險為平每當搶鑲喫緊之際似有
暴風疾雨之勢或半日或數刻旋即風息雨止
在工文武兵夫得以趕緊力作各保無虞是皆
仰蒙
聖主崇祀
黄淮河神定以春秋專祭
特沛祀典益荷
神庥臣等祇奉之下倍深虔敬其洪澤湖内水亦
盛長高堰誌樁長至一丈二尺六寸臣等恪遵
聖訓將東清禦黄兩壩全行啟拆使之暢流東注自

清黃交會以下河道較上游倍覺寬深者亦由
於清水暢出淘刷之力山盱五壩内當湖水盛
長時僅將智字一壩封土啟除過水旋因水落
亦即遵
旨堵閉其餘四壩加意防守未敢輕放堰盱一帶臨
湖新舊石堤一律安鞏智壩下注之水高寳諸
湖所長無多南關車邏五里等壩封土得以堅
閉未開上河下河各州縣民田均獲豐收亦皆
仰賴
睿謨廣運
指授機宜所賜本年江水長發異常瓜洲京口沿江
各工并皆修護穩固現届霜降秋汛已過各處
水勢漸消所有黃運各河應行堵蓄各壩暨清
口東清禦黃兩壩已飭道廳相機次第接築以
濟來春重運經行值此秋汛安瀾濱臨河湖士
庶莫不同深歡慶臣等身任河防欣幸之餘益
深敬畏凜惕除照例恭疏
題報外謹合詞繕摺具

奏仰慰

聖懷再河工一切事宜臣等詳晰面爲商定臣書麟

於拜摺後即起程回江寧辦事合併陳明伏乞

皇上睿鑒謹

奏

以手加額覽奏可之餘有旨諭

乾隆五十三年九月　十七　日

五八七

奏

河東河道總督臣蘭第錫跪

奏為欽奉
上諭敬謹遵辦恭摺奏
聞事竊臣在泇河途次於十月初二日承准大學士
伯和珅字寄乾隆五十三年九月二十八日奉
上諭本年江南豫省河工夏秋以來湖河漲盛節據
該督等奏各工水勢隨長隨消堤工俱歸鞏固現
在節候已逾霜降秋汛安瀾此皆仰賴
河神靈佑各工得臻平穩允宜酬答
鴻庥用昭妥侑著傳諭該督等於各該處
河神廟敬謹拈香致祭以答
神貺將此各諭令知之欽此遵

旨寄信到臣臣跪讀之下仰見我
皇上寅承
庥佑報祀因時之至意臣伏查八月内欽奉
諭旨令將黄河
神祠列入祀典春秋致祭並蒙
頒發祭文到工臣敬謹遵照將黄河南北兩岸
神祠四處應行致祭緣由會摺奏蒙
聖鑒兹復以霜降已逾
靈貺昭著
諭令拈香致祭臣遵於初三日起程由菏澤考城一
路馳赴豫省黄河恭詣北岸
神祠敬謹拈香致祭其南岸
神祠署撫臣梁肯堂敬赴報祭以答
鴻庥所有臣遵奉
諭旨敬謹辦理緣由謹恭摺具
奏伏乞
皇上睿鑒謹
奏

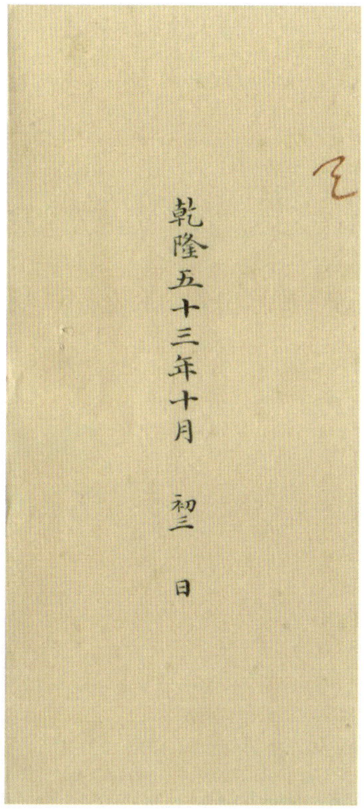

乾隆五十三年十月 初三 日

五八八

奏

河東河道總督臣蘭第錫跪

奏為

奏明事竊臣案查工部議奏豫省黄河南北兩岸應需辦料銀兩先於乾隆十年題准每年撥發額徵河銀三萬六千餘兩撥補荒缺銀四萬九千餘兩共銀八萬五千餘兩分給管河河北二道預備歲料在案嗣後南北兩岸預辦歲料如出原題八萬五千餘兩之數應令該督等將應增緣由據實奏明撥給以重

帑項等因奉

旨依議欽此欽遵辦理在案今秋汛已過新料登場例應預購五十四年歲料臣在河南時會同署

撫臣梁肯堂密委幹員確查各工舊料按其存剩之多寡察看工程之險易與該道府等酌核預辦下年歲料之數兹據管河道陳文緯河北道唐侍陛詳稱兩岸要工林立歲需秫稭蘇蔴等項必須核實儲備計北岸四廳需發料價銀四萬五千兩南岸六廳需發料價銀九萬五千兩除咨撥荒缺等項並將道庫存款動用外尚不敷銀五萬兩詳請奏撥前來臣查乾隆五十二年預備五十三年料物撙節動用現在尚有餘剩今該道等擬辦五十四年歲料所需銀數較上年有減無增似應照例准其在於藩庫內撥銀五萬兩以便轉發預購臣移會撫臣飭令開封府知府照例遴委地方人員承領價銀分投購辦限本年歲內一律全完運貯各工臣督同兩道親身驗收務期足數到工以備來年大汛之用所有預備五十四年料物添撥司庫銀兩緣由謹照部議會同河南署撫臣梁肯堂合詞恭摺具

奏伏乞
皇上睿鑒謹
奏
知道了

乾隆五十三年十月　初三　日

五八九

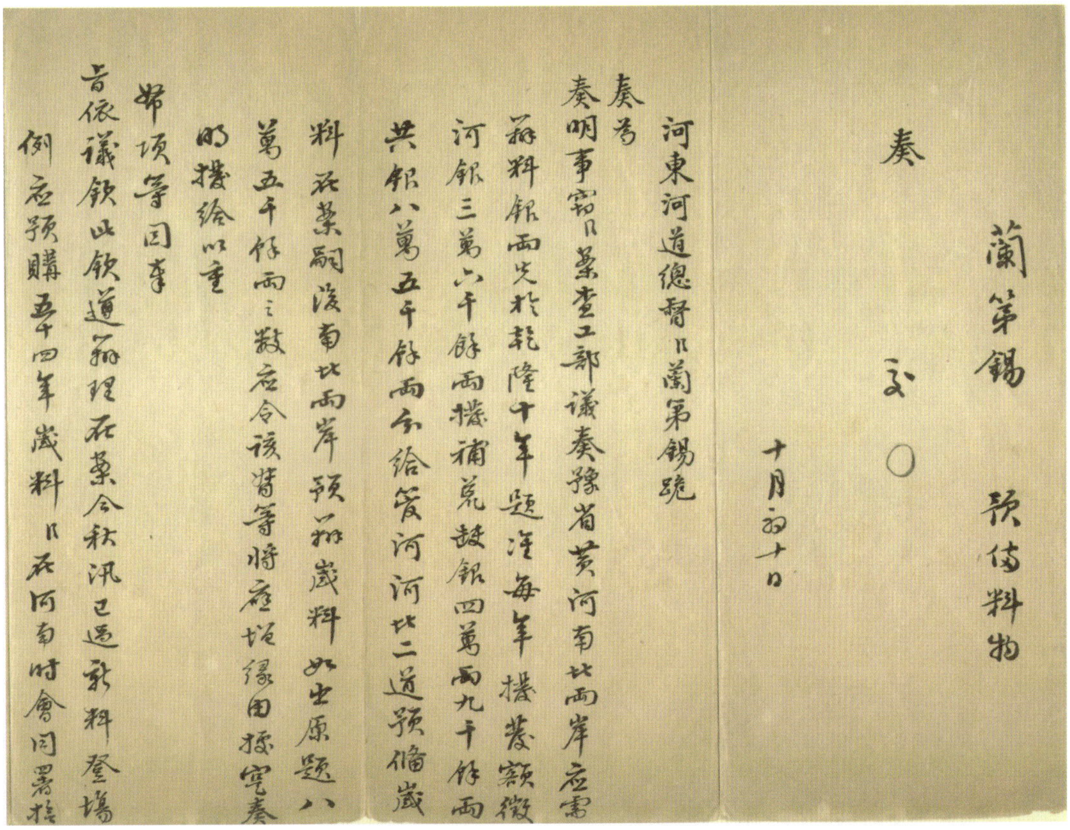

蘭第錫　預備料物

奏

十月初十日

河東河道總督臣蘭第錫跪

奏為

奏明事竊臣案查工部議奏豫省黃河南北兩岸應需辦料銀兩先於乾隆十年題准每年撥發額徵河銀三萬六千餘兩撥補荒鼓銀四萬兩九千餘兩共銀八萬五千餘兩分給管河河北二道預備歲料在案嗣後南北兩岸預辦歲料如出原題八萬五千餘兩之數應令該督等將應增緣由據實奏明撥給以重帑項等因奉

旨依議欽此欽遵辦理在案今秋汛已過新料登場例應預購五十四年歲料臣在河南時會同署撫

臣梁肯堂密委幹員確查各工舊料，核其存剩之多寡，察看工埽之險易，與該道府等酌核預籌下年歲料之數。并據管河道陳文緯、河北道慶詩陸續稟稱，兩岸要工林立，歲需秫稭葦蔴等項，必須核實儲備，計北岸四廳需發料價銀四萬五千兩，南岸六廳需發料價銀九萬五千兩，除潦搶荒鼓等項，並將道庫存款動用外，尚不敷銀五萬兩，詳請奏撥前來。臣查乾隆五十二年預備五十三年料物，撙節動用，既存尚有餘剩，今該道等撥籌五十四年歲料所需銀數，較上年有減無增，似應照例准其在藩庫內撥銀五萬兩，以便將發預購。臣移會撫臣飭令開封府知府照例遴委地方人員承領價銀，分投購辦，限本年歲內一律全完，運貯各工，臣督同兩道親身驗收，務期足數到工，以備來年大汛之用。所有預備五十四年料物添撥司庫銀兩緣由，謹照部議，會同河南署撫臣梁肯堂合詞恭摺具

奏伏乞

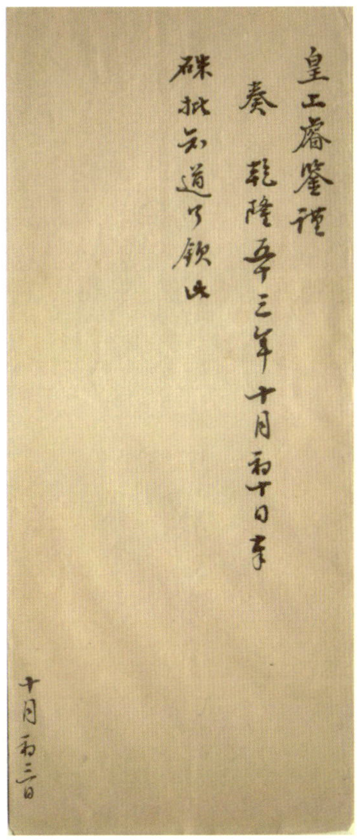

皇上睿鑒謹

奏　乾隆五十三年十月初十日李

硃批知道了欽此

十月初三日

奏

李奉翰　黄水消落等由

十月十日

江南河道總督臣李奉翰跪

奏爲奏

聞事。竊照江南黄運湖河秋汛安瀾情形，業經會摺

奏報，仰慰

聖懷。茲查九月下旬以來，黄水接續消落，漸次歸槽，徐城

誌樁現存水八尺八寸。兩岸河灘積水亦已涸，灘居

高仰之處，臣督飭道將廳營查明開放宣洩，免致

浸溢堤根。其水灘面縱刷支河溝槽，均令照例硪

勘築。俟土壩探截及歷埽壩工程，經水勢大長大消

之後，殘缺塌卸處所，每令各道確勘估計，歸於來

年春工修做，不使稍有靡費。其清口禦黄、束清

二壩每年啓閉，機宜爲全河最要關鍵，臣督道

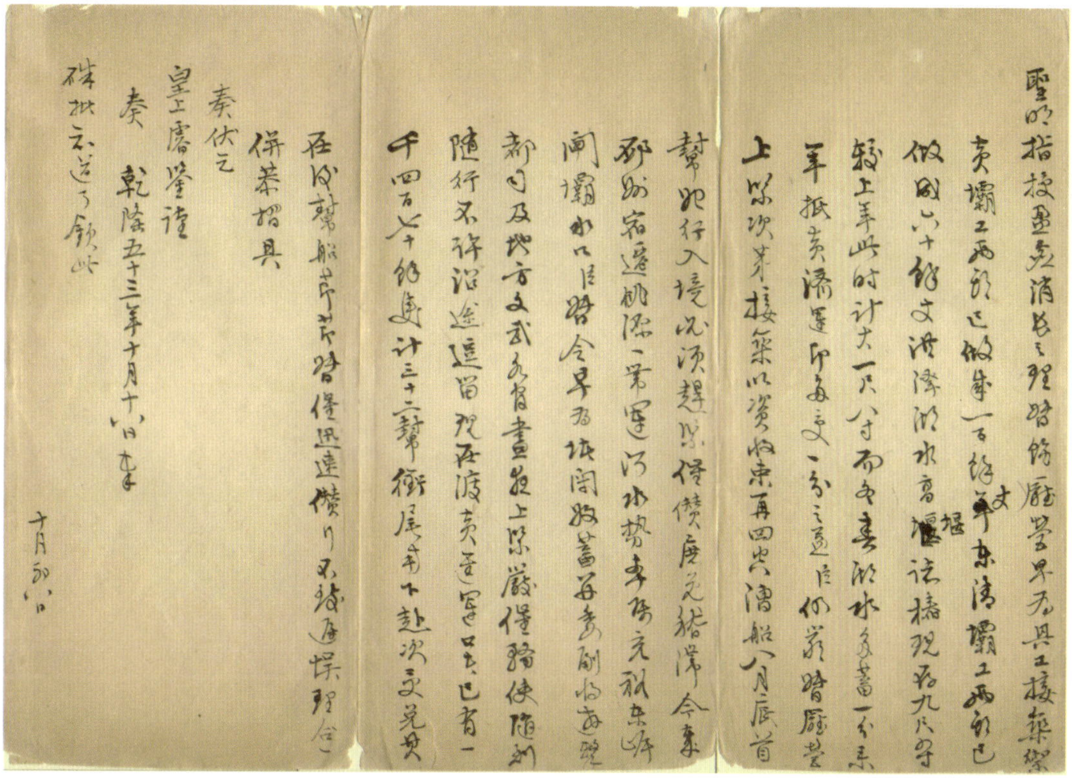
聖明指授，並先清理[illegible]險要，另具工[illegible]
黄壩工兩頭已做成一百餘丈，東清壩工兩頭已
做成六十餘丈，[illegible]水高堰，該橋現存九尺四寸，
較上年此時計大一尺八寸，而今春湖水多蓄一尺六
寸，[illegible]臣仍前嚴督
上緊次第接築，以資收束。再四次漕船八月底首
幫北行入境，[illegible]催儹[illegible]
邳州宿遷桃源一帶運河水勢[illegible]
聞壩[illegible]
[illegible]及地方文武員弁盡數上緊嚴催，務使隨到
隨行，不許沿途逗留。現在渡黄[illegible]已有一
千四百七十餘隻，計三十二幫，[illegible]
臣仍[illegible]幫船[illegible]督催迅速儹行，[illegible]理合
併恭摺具
奏，伏乞
皇上睿鑒。謹
奏。乾隆五十三年十月十八日奉
硃批：[illegible]欽此。
十月初八日

五九一

奏

河東河道總督臣蘭第錫跪

奏為循例奏

聞事竊查五十一年四月內工部議奏豫省黄河搶
修工程一項嗣後每年大汛後將該年新添險
工若干段計若干丈及化險為平若干段若干
丈據實專摺奏明並造具圖冊報部以憑查對
工段丈尺核銷等因奉

旨依議欽此欽遵歷年遵辦在案茲五十三年大汛
已過臣行據該道廳等將做過工程與上年所
修段落分晰造冊呈送前來臣查乾隆五十二
年豫省黄河南北兩岸搶修新舊埽工防風共
長八千二百二十五丈四尺今五十三年分各

舊工內化險為平停止修理者計長三千二百二十七丈五尺仍修舊工四千九百九十七丈九尺又因水長出槽漫至堤根鑲做防風並因溜勢上提下坐接長埽段以及添做挑水壩各埽工共長四千四百五十二丈一尺通共新舊埽工防風九千四百五十丈臣於大汛時往來各工目擊情形隨時查勘皆係實應搶辦之工復於九月初旬親赴各廳按冊逐細查核該道廳所報並無揑飾浮混除飭造具細冊繪圖貼說送部查對外所有本年搶修工段丈尺與上年比對數目理合會同署河南撫臣梁肯堂循例恭摺具

奏伏乞

皇上睿鑒謹

奏

知道了

乾隆五十三年十月　二十　日

再臣接准湖廣督臣畢沅咨稱荆州萬城堤現
已興工令於各工弁目内酌挑明白工程二三
十人咨送来荆率同本地人夫如法修築等因
並稱已經
奏明在案臣當即移會署撫臣梁肯堂即飭令開
歸道陳文緯等揀派河兵三十名專委協辦守
備馬福壽楊慶豫於十月初一日帶領前赴荆
州聽候督臣畢沅差委力作合並陳明謹
奏

了

五九二

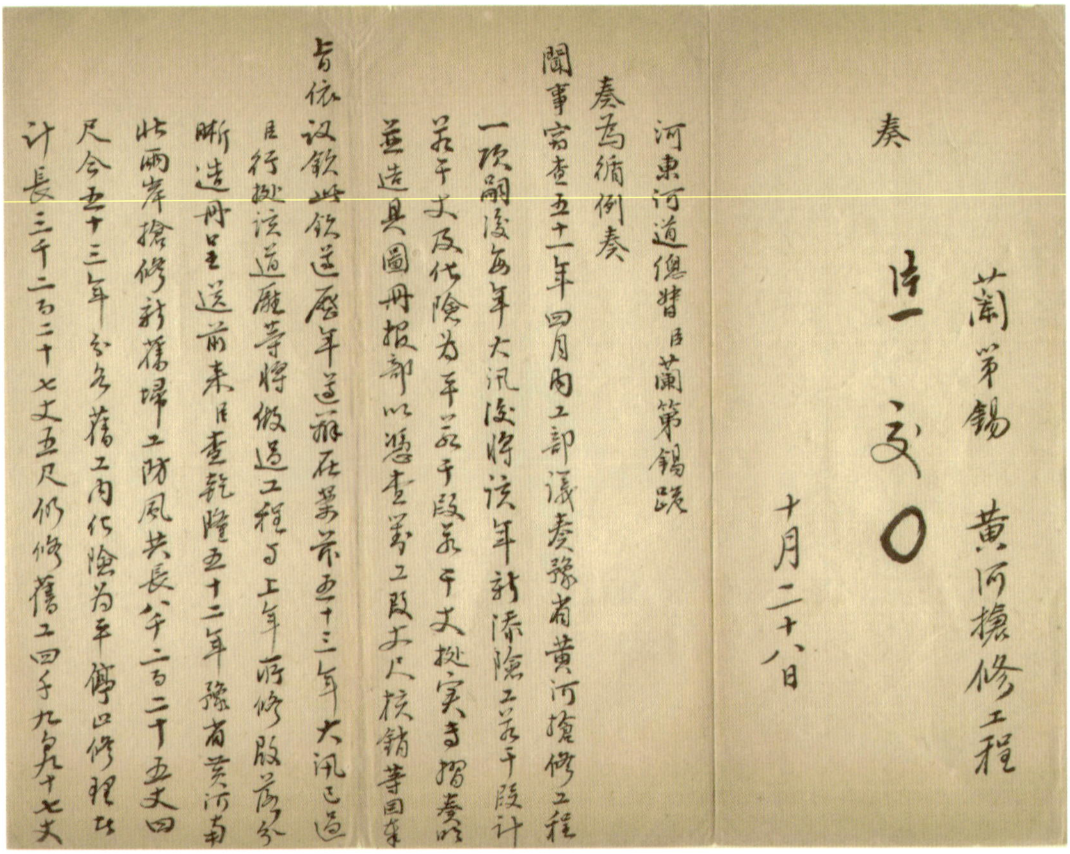
奏
蘭第錫　黄河搶修工程
是一 交 〇
十月二十八日

河東河道總督臣蘭第錫跪
奏爲循例奏
聞事。竊查五十一年四月内工部議奏豫省黄河搶修工程
一項，嗣後每年大汛後將該年新添險工若干段計
若干丈及何險爲平若干段若干丈據實具摺奏明，
並造具圖冊報部以憑查覈工段丈尺核銷等因，奉
旨依議，欽此。欽遵歷年遵辦在案。茲五十三年大汛已過，
臣行據該道廳等將做過工程及上年所修段落分
晰造冊呈送前來。臣查乾隆五十二年豫省黄河南
北兩岸搶修新舊埽工防風共長八千二百二十五丈四
尺，今五十三年分各舊工内何險爲平停止修理者
計長三千二百二十七丈五尺，仍修舊工四千九百九十七丈

九尺又因水長出槽漫至堤根鑲做防風並因溜勢上提下坐搶長埽段以及添做挑水壩各埽工共長四千四百五十二丈一尺通共新舊埽工防風九千四百五十丈

臣於大汛時往來各工目擊情形隨時查勘皆係實在搶辦之工復於九月初旬親赴各廳將冊逐細查核該道廳所報並無捏飾浮混除飭造具細冊繪圖貼說送部查覈外所有本年搶修工段丈尺與上年比較數目理合會同署河南撫臣梁肯堂循例恭摺具

奏伏乞

皇上睿鑒謹

奏　乾隆五十三年十月二十八日奉

硃批知道了欽此　十月二十日

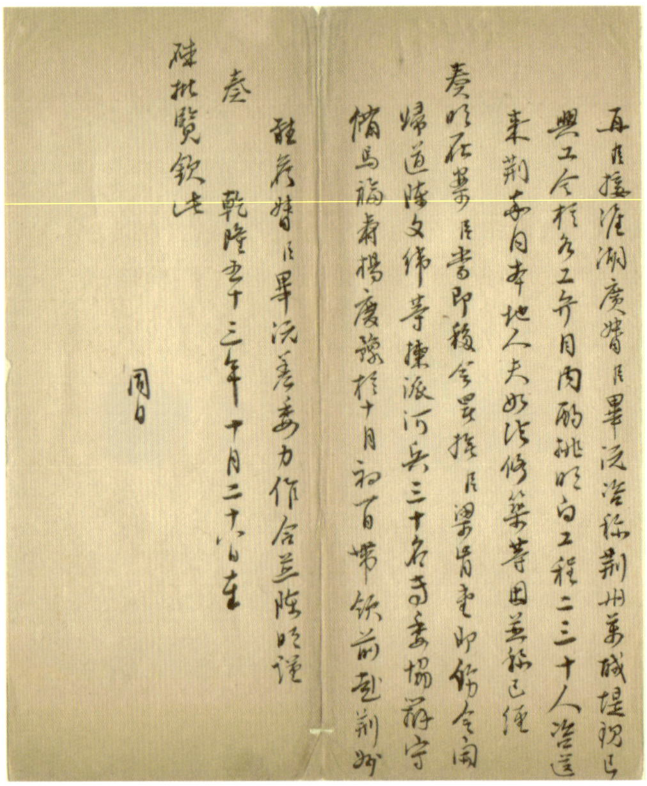

再，臣接准湖廣督臣畢沅咨稱，荊州萬城堤現已興工，令於各工分月內酌挑明白工程二三十人咨送來荊，每日率地人夫妥作修築等因。並稱已經奏明在案。臣當即移會署撫臣梁肯堂，即飭令開歸道陸文緯等揀派河兵三十名，責委協辦守備馬福壽、楊慶豫於十月初一日帶領前赴荊州，聽候督臣畢沅差委分作。合並陳明，謹

奏

乾隆五十三年十月二十六日奉

硃批：覽。欽此。

同日

五九三

奏

河東河道總督臣蘭第錫跪

奏為查勘黄河工料情形恭摺奏

聞事竊臣於正月初三日自濟寧起程先查東省曹單堤工該處地居下游土色較好上年歲修加培之工撫臣長麟委員協同河員認真修理均屬完整曹縣二堡有挑水壩工一處挑溜外趨不使近堤生工甚為平穩臣即由該處渡河至虞城縣大堤由南岸挨查而西大河形勢仍與去歲相同極其暢順商邱一帶新堤上年漫灘水至堤根稍覺寬深俱已疏浚消涸臣仍令多挑倒溝以備進淤出清其新舊各堤一切埽工壩工着溜之處現在河內水凌流淌該廳營等

用長樁橛枕懸繫埽前并用鐵錘榔頭隨時敲
打不使淩塊壅聚損傷埽身現已立春水勢漸
次融化淩汛甚屬安瀾至預備歲料係地方委
員採辦河廳驗收經撫臣伍拉納到任後嚴飭
道府委員督催晝夜儹運據該道府等報稱已
經全數運貯在工臣每到一工督率信實員弁逐
一點清數目丈量尺寸不使以舊為新稍有弊
混今俱堆貯堤頂實無短少偷減臣嚴諭工員
各處埽工尚俱整齊間有墊實卑矮之處俱應
先儘舊料加鑲以備桃汛所有應行拆修段落
總俟四五月間委員勘驗明確始准動用新料
辦理俾新料新工既可經久亦不致有草率浮
混之事其丞倅營弁等官間有衰病遲緩不能
勝任之員臣與撫臣及該道等悉心商酌分別
辦理不敢稍有姑容臣現在北岸查勘完畢即
由曹州一路馳赴運河會同查收挑工催儹糧
船所有臣查明黄河工料情形理合繕摺恭
奏伏乞

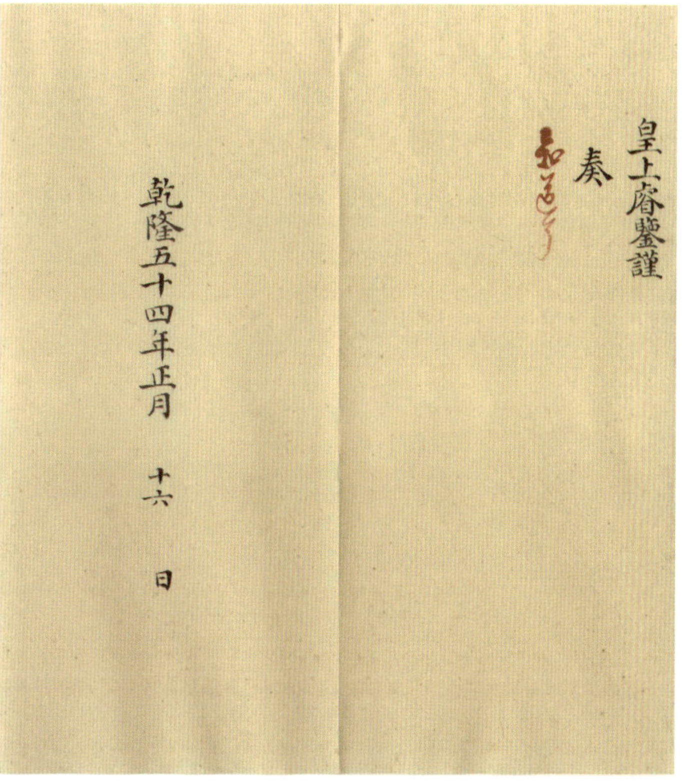

皇上睿鑒謹

奏

知道了

乾隆五十四年正月　十六　日

五九四

奏

河東河道總督臣蘭第錫
河南巡撫臣伍拉納跪

奏為黃河堤工應行擇要培築恭懇
聖恩俯准動項辦理事竊查黃河堤工遇有動項興
修例應專案奏
聞豫省兩岸新舊大堤綿長一千二百餘里尺寸皆
關緊要荷蒙
皇上宵旰勤求節次
發帑修理得以歸於平定其河勢偏趨堤工喫重
處所必須趁此各工安穩再加培築臣蘭第錫
於去歲冬間派委明諳同知徐端葉雯隨同道
府周歷兩岸逐一勘估臣伍拉納到任後督率
兩道善泰唐侍陛知府趙載元等赴工履勘悉

心講求查南岸新堤睢州十三堡係五十二年
冬間新築之工大壩以北淤灘寬厚因壩身係
料物築成日久朽腐壩頂中間漸成低窪應須
包壓重土迤西挑水壩連壩基長四百餘丈坐
當河心挑溜北趨甚為得力應須再為幇寬加
高又儀封二三堡一帶正對李六口出水之區
上年修做挑水埽壩足資抵禦惟堤後舊有圈
堤較為卑矮亦須增培以為重層保障其舊堤
內如南岸上南廳屬楊橋大壩下南廳屬黑堽
大壩焦橋圈埝并近河堤壩等工或應接長幇
寬或應添築挑水土壩以資防範又北岸上北
下北曹考各屬如封邱之古黃池祥符之十二
堡十八堡蘭陽之銅瓦廂李六口均係險要處
所應同卑薄各工間段增培據該道府等呈送
估单計南岸各廳共估土四十一萬三千餘方
應需方價銀五萬八千八百餘兩北岸各廳估
土七萬一千五百餘方應需方價銀一萬零五
百餘兩臣等連日會商覆核所估各段俱係必

應辦理之工遵照定例按取土之遠近定方價之多少尚無浮冒理合據實具奏仰懇
皇上天恩俯准動用司庫銀兩辦理一俟春融凍解
臣等飭令各同知通判并添派附近州縣承領價銀分段興修仍令該管道府及原任道員蔣果等駐工監催臣等不時赴工查勘俟工竣切實驗收務期層土層硪一律堅實俾工歸實在帑不虛糜以仰副
聖主慎重河防之至意除飭道造具估册另行分別題咨外所有臣等會勘動項培築堤工緣由理合
恭摺具
奏伏乞
皇上睿鑒訓示謹
奏

知道了

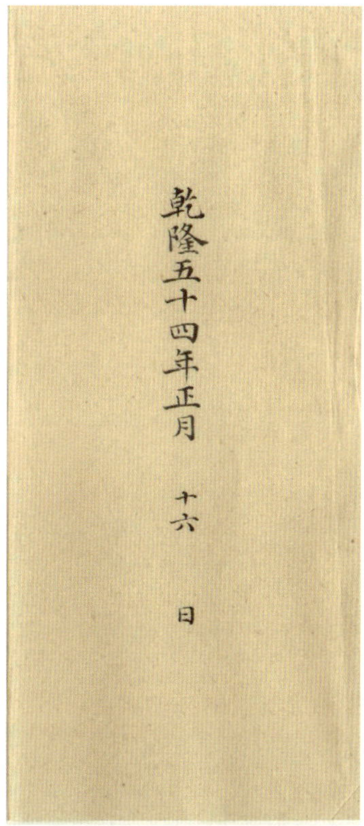

乾隆五十四年正月　十六　日

五九五

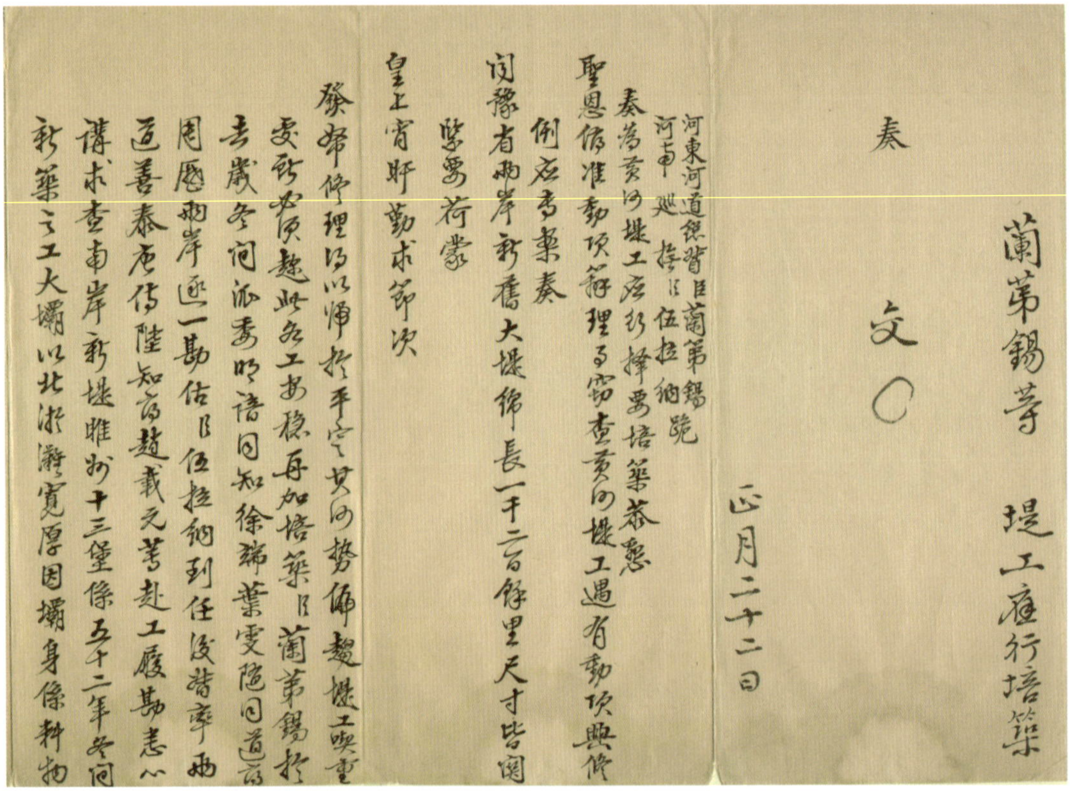
蘭第錫等 堤工應行培築

奏 文 ○

正月二十二日

河東河道總督臣蘭第錫
河南巡撫臣伍拉納跪
奏為黃河堤工應行擇要培築恭懇
聖恩俯准動項辦理事竊查黃河堤工遇有動項興修
例應專案奏
聞豫省兩岸新舊大堤綿長一千二百餘里尺寸皆關
緊要荷蒙
皇上宵旰勤求節次
發帑修理得以懷抱平穩其河勢循趨堤工與重
要者仍須趕辦各工安穩毋加培築臣蘭第錫於
去歲冬間派委明諳同知徐端葉雯隨同道員
周歷兩岸逐一勘估臣伍拉納到任後督率兩
道善泰唐侍陛知府趙載元等赴工履勘悉心
講求查南岸新堤雖於十三堡係五十二年冬間
新築之工大壩以北淤灘寬厚因壩身係料物

築成日久朽腐埽頂中間漸成低窪應須包壓
重土迤西挑水埽連埽基長四百餘丈坐當河心
挑溜北趨甚爲得力應須再爲幫寬加高又儀封
二三堡一帶正對李六口出水之區上年修做挑
水埽壩足資抵禦惟埽後舊有圈堤殘缺單
薄亦須幫培以爲重層保障又舊堤内如南岸
上南廳屬楊橋大壩下南廳屬黑堽大壩進
橋圈埝并近河堤壩等工或應接長幫寬或
應添築挑水土壩以資防範又北岸上北下北曹
考各屬如封邱之古賁祥符之十二堡十八堡
蘭陽之銅瓦廂李六口均係險要處所應同[illegible]
各工閱段幫培接築該道等呈送估單計南
岸各廳共估土四十一萬三千餘方應需方價銀五
萬八千六百餘兩北岸各廳估土七萬一千五百餘方
應需方價銀一萬零五百餘兩臣等連日會商覆
核所估各段俱係必應辦理之工查照定例按
取土之遠近定方價之多少尚無浮冒理合據
實具奏仰懇
皇上天恩俯准動用司庫銀兩辦理一俟奉[illegible]
解臣等飭令各同知通判并添派附近州縣
承領價銀分段興修仍令該管道府及原估道

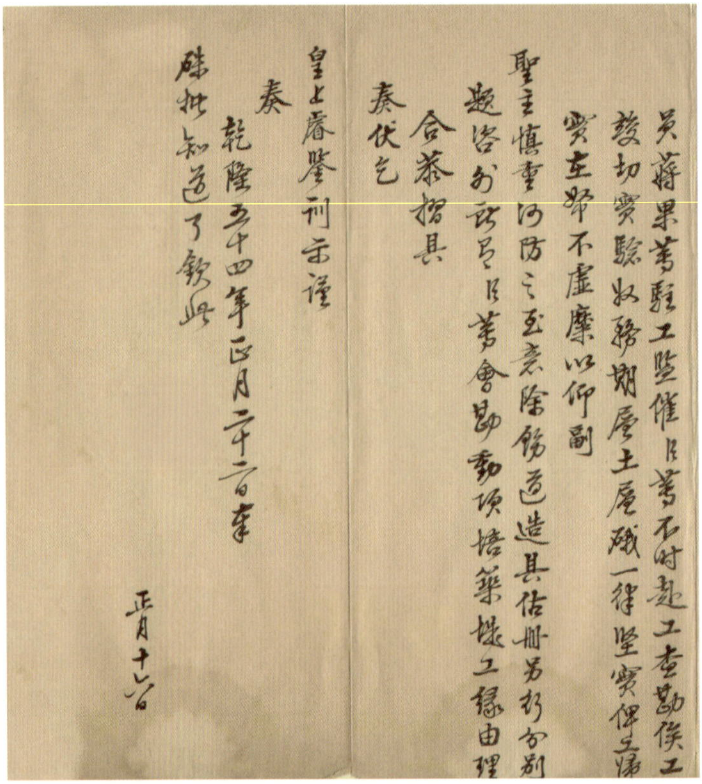

員蔣果等駐工監催，臣等不時赴工查勘，俟工竣切實驗收，務期層土層硪一律堅實，俾工歸實在，帑不虛靡，以仰副

聖主慎重河防之至意。除飭造具估冊另行分別題咨外，臣等會勘動項培築堤工緣由，理合恭摺具

奏。伏乞

皇上睿鑒，訓示謹

奏。

乾隆五十四年正月二十二日奉

硃批：知道了。欽此。

正月十七日

蘭第錫　查勘黃河工料
奏
覽
正月廿二日

河東河道總督臣蘭第錫跪
奏為查勘黃河工料情形恭摺奏
聞事竊臣於正月初三日自濟寧起程先查東省曹單堤工該處地
居下游土色較好上年歲修加培之工撫臣長麟委員協同
河員認真修理均屬完整曹縣二堡有挑水壩工一處挑
溜外趨不使近堤是工甚為平穩臣即由該處渡河至虞
城縣大堤由南岸挨查而西大河形勢仍與去歲相同極
其暢順商邱一帶新堤上年漫灘水至堤根稍覺寬深
已疏浚消涸臣仍令多挑倒溝以備進漲出清其新舊
各堤一切埽工攔工着溜之處現在河內冰凌流淌該廳營
等用長樁柳枕懸繫埽前并用鐵鍊榔頭隨時敲打不使
凌塊壅聚損傷埽身現已立春水勢漸次融化凌汛甚屬
安瀾至預備歲料係地方委員採辦河廳驗收經撫臣伍拉
納到任後嚴飭道府委員督催晝夜僱運據該道府等報

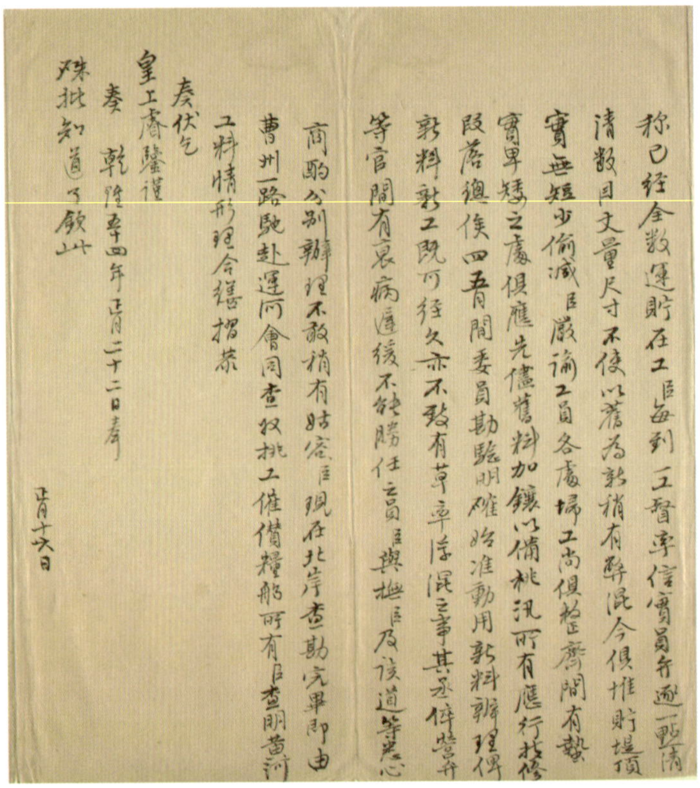

稱已經全數運貯在工臣每到一工督率信實員弁逐一點清
清數目丈量尺寸不使以舊為新稍有牽混今俱堆貯堤頂
實無短少偷減臣嚴諭工員各處埽工尚俱整齊間有蟄
實卑矮之處俱應先儘舊料加鑲以備桃汛所有應行拆修
段落俟四五月間委員勘驗明確始准動用新料辦理俾
新料新工既可經久亦不致有草率滲混之事其丞倅營弁
等官間有衰病遲緩不能勝任之員臣與撫臣及該道等悉心
商酌分別辦理不敢稍有姑容臣現在北岸查勘完畢即由
曹州一路馳赴運河會同查收挑工催儹糧船所有臣查明黃河
工料情形理合繕摺恭
奏伏乞
皇上睿鑒謹
奏 乾隆五十四年正月二十二日奏
硃批知道了欽此
正月十六日

五九七

奏

調任江南河道總督臣蘭第錫跪

奏為查明黄河水勢工程情形恭摺奏

聞事竊臣前經奏明赴豫防護桃汛當由北岸查至
銅瓦廂即從李六口渡河至蘭儀儀睢一帶查
得新舊河道一律深通睢州上下兩汛埽壩各
工及商邱河尾形勢極為暢順自二月下旬至
三月初旬長水二次均止一尺四五寸旋即消
落嗣後逐日長落亦俱在數寸之間應修春工
該道廳等相機鑲辦均屬平穩間有溜勢上提
下坐如蘭陽儀封兩汛原有挑水壩七道上年
溜走四五六壩今復提至二三壩該道廳等稟
稱應再加培寬厚以備鑲護挑溜臣已飭令撙

節修做聽候新任河臣覆加查核所有本年正月臣等奏明應辦土工先經陞任撫臣伍拉納派委州縣協同河廳分投興工又經撫臣梁肯堂派委丞倅人員隨工監催不使少有偷減草率臣亦告知新任河臣勘查督催以期工歸實在臣往來沿河一帶春雨霑足麥苗暢茂農民紛紛播種大田人情甚為歡悅所有豫省黃河水勢工程情形理合恭摺具

奏伏乞

皇上睿鑒謹

奏

知道了

乾隆五十四年三月　十六　日

奏

蘭第錫　水勢工程

三月廿[illegible]

調任江南河道總督臣蘭第錫跪

奏為查明黃河水勢工程情形恭摺奏

聞事。竊臣前經奏明赴豫防護桃汛，當由北岸查至銅瓦廂，即從李六口渡河至蘭儀。儀睢一帶查得新舊河道一律深通，睢州上下兩汛埽壩各工及商邱河尾形勢極為暢順。自二月下旬至三月初旬長水二次，均止一尺四五寸，旋即消落。銅瓦廂日長日落，亦俱在數寸之間。應修土工該道廳等相機鑲做，均屬平穩。間有溜勢上提下坐，如蘭陽、儀封兩汛原有挑水壩道，上年溜走四五六壩，今復提至二三壩，該道廳等稟稱應再加鑲寬厚以備廂護抽溜，臣已飭令撙節修做。廳候新任河臣康加查一核，計有本年正月臣前奏明

應辦土工先經陞任撫臣伍拉納派委州縣協同河
廳分投興工又經撫臣梁肯堂派委丞倅人員隨
工監催不使少有偷減草率臣亦告知新任河
臣勤查督催以期工歸實在臣往來沿河一帶春
雨霑足麥苗暢茂農民紛紛播種大田人情益為
懽悅所有豫省黃河水勢工程情形理合恭摺具
奏伏乞
皇上睿鑒謹
奏乾隆五十四年三月二十四日奉
硃批知道了欽此

三月十六

五九九

奏

臣李奉翰臣梁肯堂謹

奏為恭報黃河桃汛水勢工程平穩情形仰祈
聖鑒事竊查每年桃汛為三汛之首凡大河兩岸新
舊堤工臨河埽壩均須妥為料理臣李奉翰任
事後即從黃河北岸曹單一帶查勘渡河至南
岸虞城由商邱新河尾溯流而上查看睢州大
壩並蘭儀新舊各工至蘭陽挑水壩臣梁肯堂
亦來至蘭陽當將大河上下溜勢情形及現辦
一切工程面加商論為一歲修防之計查睢州
上汛高家寨埽段綿長原長九百八十餘丈自
五十年仰蒙
皇上按圖指示令於高家寨迤西建築挑水壩工之

後挑護得力工頭十埽上下業已淤閉又工尾
四堡迤東導築土壩長四十丈每遇伏秋盛漲
河勢下坐深資挑禦并經大學士公阿桂於遵
旨到工會勘之時奏明往後隨時察看情形再於迤
下添建挑水壩一二道以資挑護等因奉
硃批覽奏俱悉如所議行欽此欽遵在案今臣等與
該道廳等公同察看高家寨工尾土壩迤東應
再建挑水壩一道長一百丈更可以資挑護又
睢州下汛三堡挑水第二壩至第三壩相距五
百餘丈中間空檔太長形勢坐灣該處灘面原
寬一百餘丈今陸續刷塌僅存寬六十四丈如
再塌進逼近堤身愈成兜灣迎溜之勢應於二
壩之下三壩之上添建土壩一道斜長七十丈
一俟着溜之時即相機動料鑲護以資挑溜開
行庶於防守大堤之計益為周備查桃汛內黃
河水勢三月十三日以前旋長旋消逐日長落
俱在數寸之間三月十四五六等日各廳陡長
水一尺五六寸至二尺不等通計前後共長水

五尺五六寸至六尺七八寸共落水四尺二三
寸至四尺六寸沁河共長水二尺五寸共落水
一尺六寸現在日見消落大河溜勢流行下注
極為迅速暢順前河臣蘭第錫飭辦春修埽壩
如蘭陽二三壩儀封三堡等工并下南廳之黑
堽上南廳之楊橋大壩中牟九十堡等處埽工
均已鑲修一律完固足備抵禦臣查過南岸後
復渡河至北岸查勘上北下北曹考等處工程
如銅瓦廂埽工四十五段係屬迎溜要工飭令
擇緊加鑲堅實以禦大汛其祥符汛之十二堡
埽工蘭陽李六口之大壩磨盤埽現俱一律高
厚臣每到一工與該管道員并廳營等審察情
形悉心講求各工購備料物逐一點驗並無短
少本年正月前河臣蘭第錫等奏辦土工先經
派委州縣協同河廳分投興辦令臣挨工查驗
統計已有七分工程辦理尚屬認真間有夯硪
未能周遍堅實以及辦理稍遲者當即飭令再
加翻築潑水行硪上緊妥辦依限完竣并專責

各該道往來稽查務期工歸實在帑不虛糜以
仰副
皇上慎重河防至意再豫省黃河兩寬行兩岸無
工之處均係沙灘大汛水長漫灘刷有溝槽最
為堤工之患現於各溝形之內築做土格土壩
以資攔截惟恐道廳未能兼顧辦不如式專委
留工効力之原任管河道蔣果駐工來往督辦
以專責成臣李奉翰查沿河一帶春雨普霑麥
苗暢茂秋田亦俱佈種東豫民情俱甚歡悅所
有桃汛水勢工程平穩情形及睢州上下汛添
建挑水壩工緣由理合繕摺具
奏并繪圖貼說恭呈
御覽伏乞
皇上睿鑒訓示謹
奏
覽奏欣慰

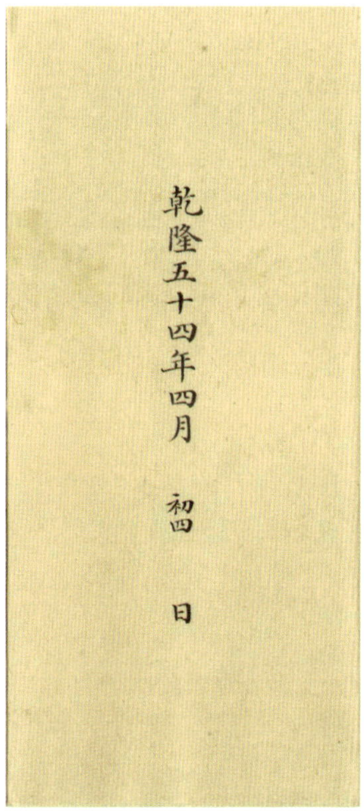

乾隆五十四年四月　初四　日

六〇〇

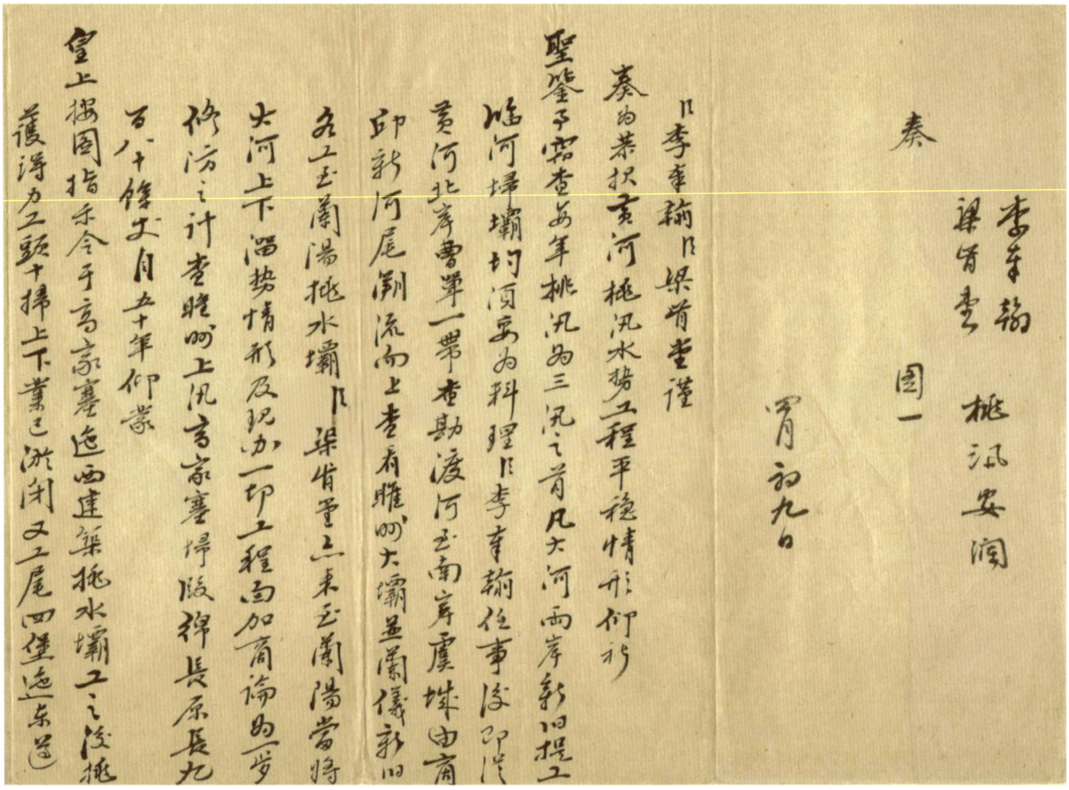

奏

李奉翰 梁肯堂 桃汛安瀾

摺一

四月初九日

臣李奉翰、臣梁肯堂謹

奏為恭報黃河桃汛水勢工程平穩情形，仰祈

聖鑒事。竊查每年桃汛為三汛之首，凡大河兩岸新舊堤工

臨河埽壩均須妥為料理。臣李奉翰任事後，即從

黃河北岸曹單一帶查勘，渡河至南岸虞城，由商

邱新河尾溯流而上，查看睢州大壩並蘭儀新舊

各工至蘭陽挑水壩。臣梁肯堂亦來至蘭陽，當將

大河上下溜勢情形及現辦一切工程面加商論，為一勞

永逸之計。查睢州上汛高家寨埽段，緣長原長九

百八十餘丈，自五十年仰蒙

皇上按圖指示，令于高家寨迤西建築挑水壩工，工竣挑

護得力，工頭十埽上下業已淤閉，又工尾四堡迤東至迤

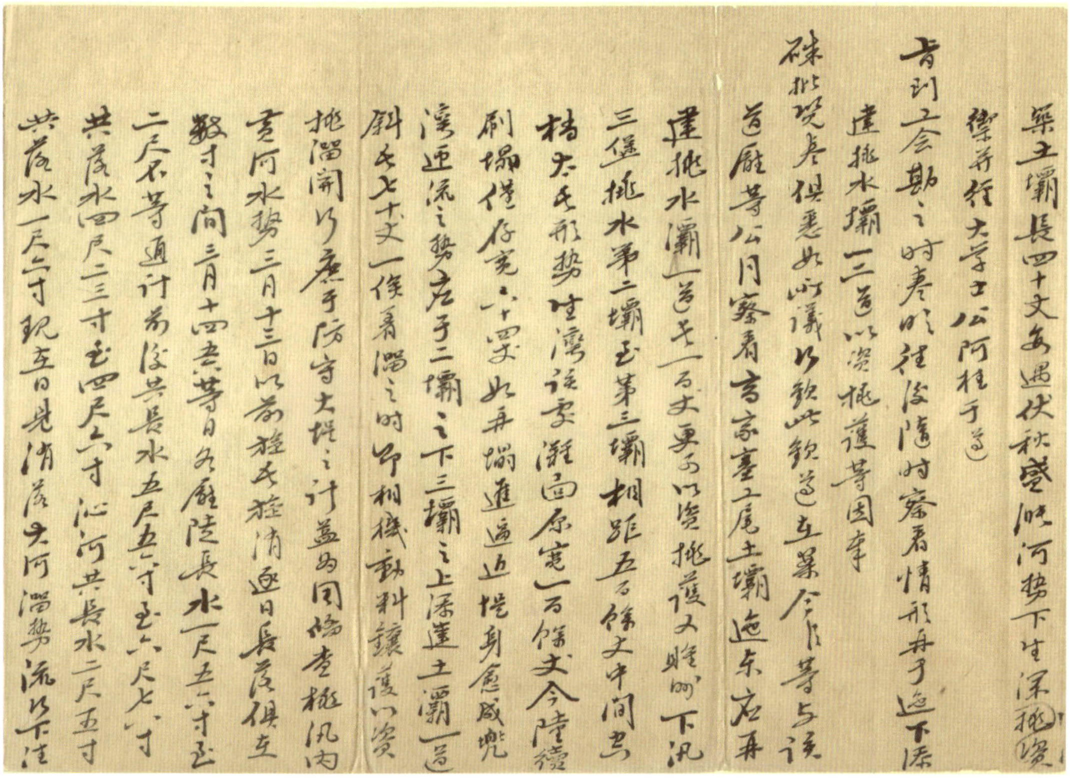
築土壩長四十丈，如遇伏秋盛漲，河勢下坐深挑溜，
經前任大學士公阿桂于奏
旨飭工查勘之時，奏明往後隨時察看情形，再于迤下添
建挑水壩一二道，以資挑護等因，奉
硃批：覽奏俱悉，如所議行。欽此。欽遵在案。今臣等與該
道廳等公同察看，言家臺工尾土壩迤東應再
建挑水壩一道，長一百丈，更可以資挑護。又雖附下汛
三堡挑水第二壩至第三壩相距五百餘丈，中間先
據大溜形勢坐灣，該處灘面原寬一百餘丈，今陸續
刷塌，僅存寬六十四丈，如再崩進，逼近堤身，愈屬吃
緊，迎溜之勢，應于二壩之下、三壩之上添建土壩一道，
斜長七十丈，一俟看溜之時，即相機動料鑲護，以資
挑溜關，以為防守大堤之計，益為周備。查桃汛內
黄河水勢三月十三日以前旋長旋消，逐日長落俱在
數寸之間，三月十四日等日各廳陸長水一尺五六寸至
二尺不等，通計前後共長水五尺五六寸至六尺七八寸，
共落水四尺二三寸至四尺五六寸，沁河共長水二尺五寸，
共落水一尺六寸，現在日見消落，大河溜勢流行下注

極為迅速暢順前河臣蘭第錫飭將應修埽壩如蘭陽二三壩儀封三堡等工并下南廳之建堤上南廳之楊橋大壩中牟九堡等處埽工均已鑲修一律完固豫備抵禦臣查過南岸修濬渡河北岸查勘上北下北曹考等處工程如銅瓦廂埽工四五段係屬迎溜要工飭令擇緊加鑲堅實以禦大汛其祥符汛之十二堡埽工蘭陽李六口之大壩磨盤埽現俱一律高厚臣於到工與該道員并廳營等審察情形悉心講求要工購備料物逐一點驗並無虛短少本年五月前河臣蘭第錫等奏辦土工先經派委兩岸協同河廳分投真辦令臣接查驗統計已有七分工程辦理尚屬認真間有夯硪未能周遍堅實以及辦理稍遲者當即飭令再加翻築漲水行硪上緊妥辦依限完竣并專責各該道往來稽查務期工歸實在不虛靡以仰副

皇上慎重河防至意再豫省黃河兩面寬衍兩岸無工之處均係沙灘大汛水長漫灘刷至溜槽最為堤工之要現於各灘折之內築做土格土堤以

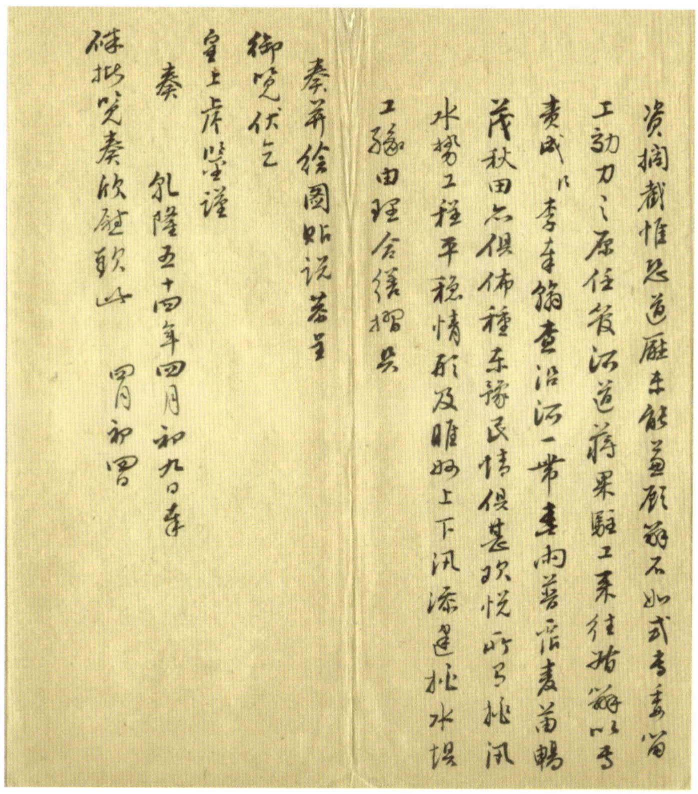

資攔截惟恐道廳未能盡所論不如式者責省
工勁力之原任管河道蔣東驛工來往指論以專
責成。臣李奉翰查沿河一帶春雨普霑麥苗暢
茂秋田亦俱佈種齊豫民情俱甚歡悅所有桃汛
水勢工程平穩情形及睢州上下汛添建挑水堤
工緣由理合繕摺具
奏并繪圖貼說恭呈
御覽伏乞
皇上睿鑒謹
奏　　乾隆五十四年四月初九日奉
硃批覽奏欣慰欽此　　四月初四

六〇一

奏

臣李奉翰臣和琳跪

奏為恭報東省河湖水勢旺盛南糧行走迅速情

形仰祈

聖鑒事竊查東省運河為通漕要津全賴汶泗等河

水旺各湖瀦蓄充足以利漕運臣等凜遵

諭旨預籌備蓄當將遵辦緣由及各湖充裕情形恭

摺覆

奏在案今查四月十二日以後東豫各處時雨透

足不惟汶源泗水疊報加長其衛河上源亦報

長水七尺二寸臨清閘外衛河直至德州交界

一律深暢即古淺各處亦俱水深五尺七八寸

至六尺餘寸南糧首幫淮安頭幫并後跟之大

河前淮安三揚州二等幫均於四月十一日催
出東境比上較比上年首幫出境之期趕早二
十五日截至十四日止已出臨清口者十二幫
現過濟寧者二十五幫其二進糧船揚州頭泗
州前大河三等幫已於本月十四五日挽入東
境連前共進臺莊船三十三幫均比往年較早
在後各幫亦俱跟接而來行走甚速日內陰雲
四佈雨勢頗遠臣等惟恐此後泉源山水旺發
先經專委營備在於南旺一帶相機料理諄飭
道廳將各湖水櫃乘時收足之外即以有餘之
水酌減各閘之板以平溜勢俾重運幫船得以
安穩過閘以期妥速遄行臣等惟有仰遵
恩訓隨時留心總期蓄洩得宜節宣有制以仰副我
皇上廑念河漕之至意所有東省河湖水勢旺盛重
運遄行迅速情形謹會同恭摺具
奏伏乞
皇上睿鑒謹
奏

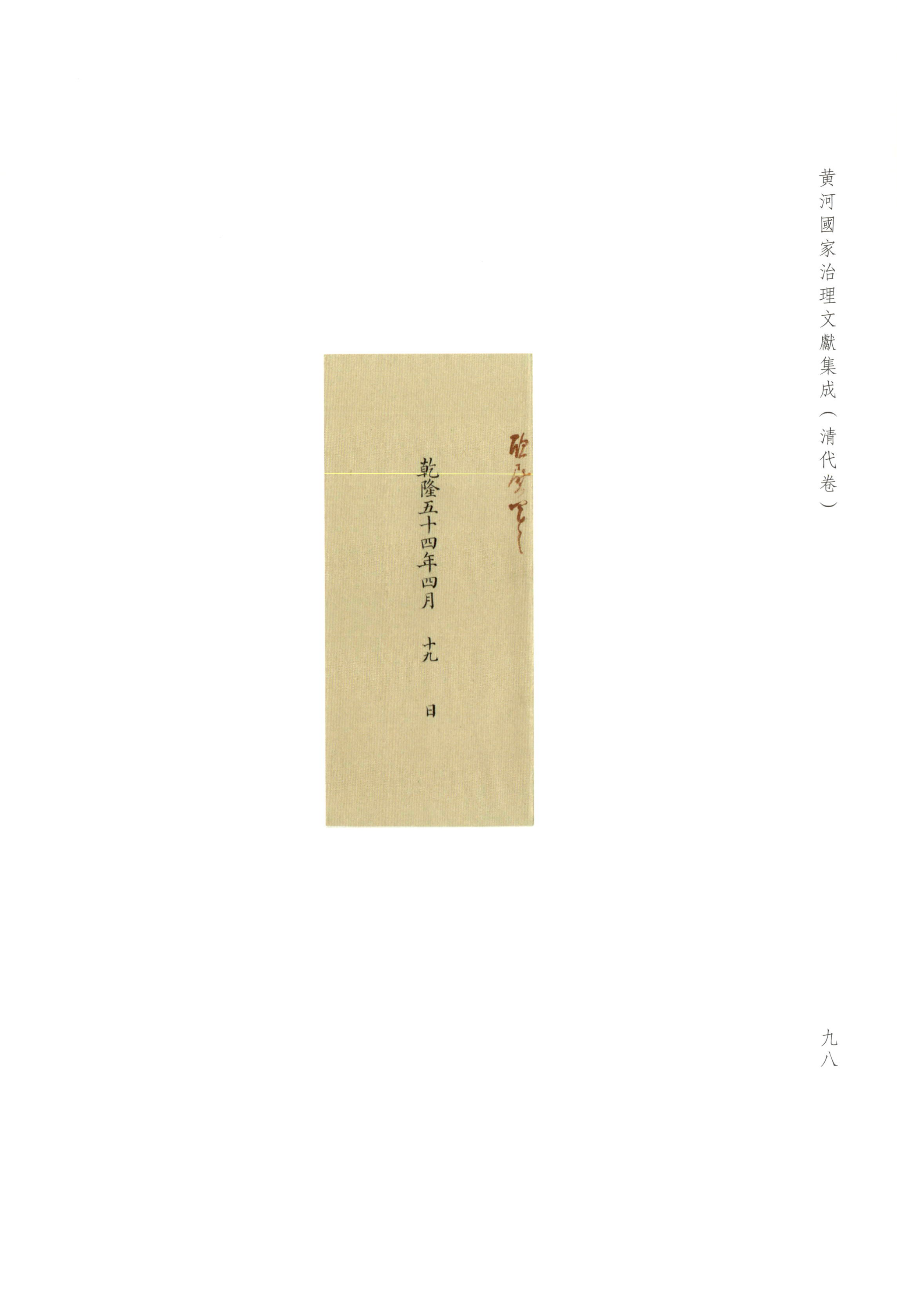

乾隆五十四年四月　十九　日

臣李奉翰跪

奏查豫東黄河桃汛水平工穩情形前經奏蒙

聖鑒自桃汛以後大河水勢漸消至四月十三四日長水三四寸至一尺餘寸不等旋長旋消蘭陽二三兩壩邊埽雁翅着溜之處間有行蟄當經該道廳鑲修穩固其餘一切埽壩各工俱屬平穩臣飭令南北兩岸廳營凡遇時雨之後即查明堤工如有水溝浪窩及堤坡殘損之處即時填築堅實修理整齊以慎巡防合併陳明謹

奏

奏

江南河道總督臣蘭第錫跪

奏為查勘揚州鎮江運河工程情形拆修減水石閘仰祈

聖鑒事竊臣與督臣書麟遵

旨會勘陶莊引河恭摺覆

奏後臣復由寶應高郵至揚州鎮江逐一挨查淮揚運河水勢充裕深自八九尺及一丈三四尺至二丈餘尺不等臨河堤埽及排樁磚石春修各工臣查照調任河臣李奉翰批准底冊逐段丈量加以刨驗均屬如式間有與原估不足之處酌看形勢或核減撙節或責成補築務期工歸實在東堤高郵南關車邏五里等壩最為緊

要查驗石工封土寬厚堅實足資保障臣恪遵
節奉
聖訓飭令認真防守以護下河民田其餘单閘涵洞
藉以灌漑現值栽插之期嚴諭廳汎隨宜啟閉
以利田疇西岸寶應氾光等湖湖水低於河水
七尺餘寸現在酌啟減水閘洞以洩運河有餘
之水其通湖各港口封閉完好邵伯迤上五十
二年漫水之周家溝黒魚塘等處因跌成深塘
埽工屹立復用碎石拋填出水以護埽根臨湖
磚石間有掣卸殘缺嚴飭補砌統歸歲修項下
庫貯彙銷無需另動錢糧惟寶應縣氾水汎内
舊有瓦甸閘改建雙孔磯心石閘一座係宣洩
運河盛漲之水由湖歸江頗為得力屢經大汛
跌塘汕刷致將閘墻並磯心雙孔衝損臌裂閘
底灰土掀揭梅樁衝動難資啟閉經調任河臣
李奉翰委員勘估與督臣書麟議商請辦因值
調任未及具
奏今臣率同道將詳加勘議係亟應辦理之工乾

隆四十八年曾經補修已在保固限外所估拆
修工料需銀四千二百餘兩尚無浮冒先經酌
發銀兩飭令廳員備料築壩拆卸到底報候驗
明修砌務於大汛前完竣理合據實
奏明伏乞
聖恩俯准辦理至瓜洲鎮江一帶臨江埽工應修之
處亦俱完竣間有拋填石塊以禦潮水俱與原
估相符現在湖北幫船已進江口次第北上在
前之浙江各幫均已渡黃截至四月二十六日
已過揚莊糧船七十四幫截至十六日已出黃
林莊境三十七幫洪澤湖前報存水四尺四寸、
今增長五寸共存長水四尺九寸黃河亦長數
寸清水抵禦有力其清口東西各壩臣與道將
查閱熟商尚可無須拆展惟有凜遵
欽定章程隨時相機辦理至沿河地方雨水調勻四
月十九至二十三日連得透雨二麥漸次成熟
大田全行播種糧價平減民情懽豫洵堪仰慰
聖懷臣現在回浦考驗標營弁兵技勇擬於五月初

旬由睢寧宿虹至豐碭一帶挨查上游工程所
有查過揚州鎮江工程情形并請拆修石閘緣
由理合恭摺具
奏伏乞
皇上睿鑒謹
奏

欣慰覽之餘有旨

乾隆五十四年四月　二十七　日

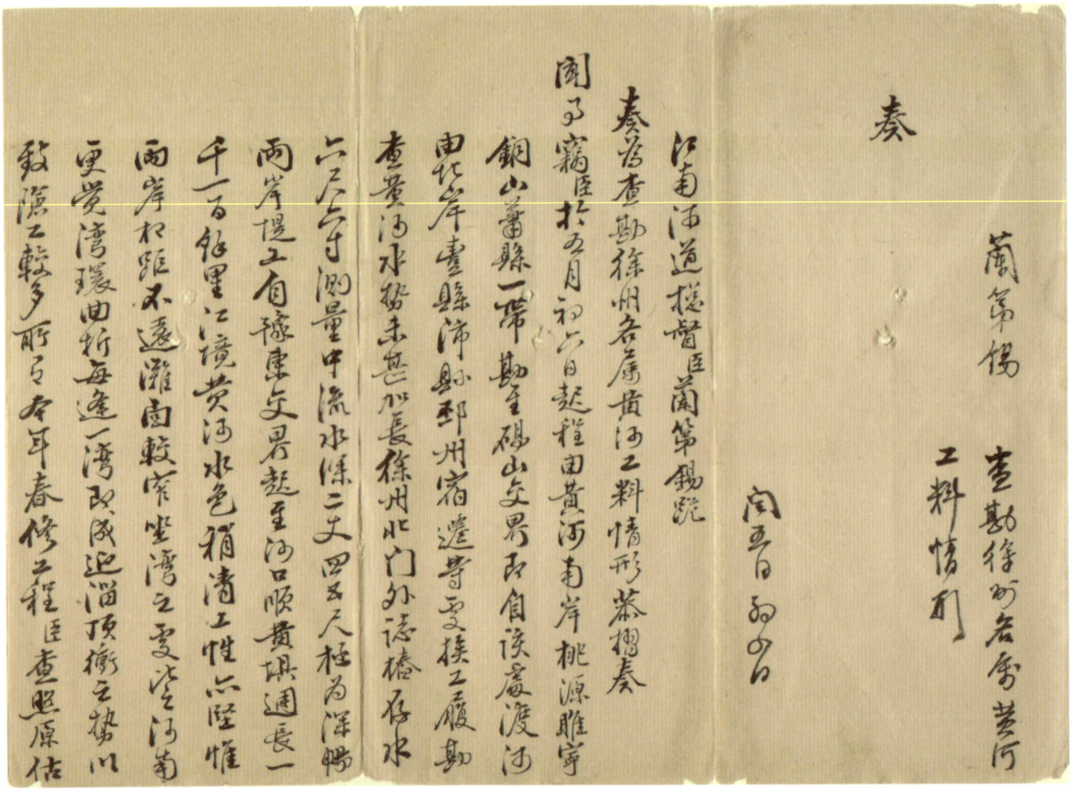

奏

蘭第錫　查勘徐州各屬黃河
工料情形

閏五月初四日

江南河道總督臣蘭第錫跪

奏為查勘徐州各屬黃河工料情形恭摺奏

聞事。竊臣於五月初六日起程，由黃河南岸桃源、睢寧、銅山、蕭縣一帶勘至碭山交界，即自該處渡河，由北岸豐縣、沛縣、邳州、宿遷等處挨工履勘，查黃河水勢未甚加長，徐州北門外誌樁存水六尺八寸，測量中流水深二丈四五尺，極為深暢。兩岸隄工自豫東交界起至河口順黃壩，通長一千一百餘里。江境黃河水色稍清，工性亦堅，惟兩岸相距不遠，灘面較窄，坐灣之處河南更覺灣環曲折，每遇一灣，即成迎溜頂衝之勢，以致險工較多。所有本年春修工程，臣查照原估

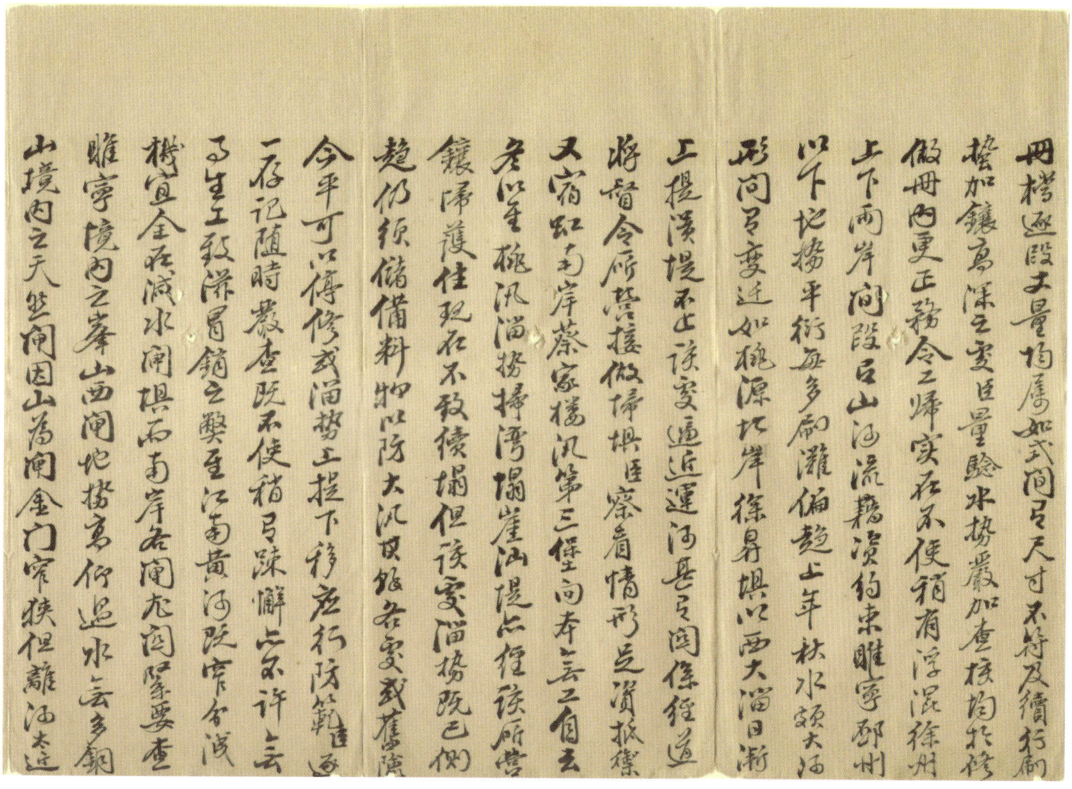
册檔逐段丈量均屬如式間有尺寸不符及續行刷
塌加鑲高厚之處臣量驗水勢嚴加查核均於修
做冊內更正務令之歸實在不使稍有浮混徐州
上下兩岸間段有山河流藉資約束睢寧邳州
以下地勢平衍每多刷灘偏趨上年秋水頗大河
形間有變遷如桃源北岸徐昇壩以西大溜日漸
上提漢堤不止該處逼近運河甚有關係經道
將督令所營接做埽壩臣察看情形足資抵禦
又宿虹南岸蔡家樓汛第三堡向本無工自去
冬以來桃汛溜勢捧灣塌崖汕堤亦經該所營
鑲埽護住現在不致續塌但該處溜勢既已側
趨仍須儲備料物以防大汛其餘各處或舊險
今平可以停修或溜勢上提下移應行防範之處
一存記隨時嚴查既不使稍有疎懈亦不許無
故生工致滋冒銷之弊至江南黃河既窄分洩
機宜全在減水閘壩而南岸各閘尤關緊要查
睢寧境內之峰山四閘地勢高仰過水無多銅
山境內之天然閘因山為閘金門窄狭但離河太遠

聞下地形卑窪，閘放過久，難免浸漫民田，曾經
前河臣高斌奏明，非遇盛漲不得輕議啟放，自
應循照舊辦。惟碭山境内之毛城鋪滚壩，係碎石
砌成，石壩之外圈築土壩，兩頭用埽裹護，外灘
唐家灣又係倒鈎引河，最為緊要。查壩下由
洪溝河入安省之濉河，以達洪澤湖，去路亦暢，

硃

實為分洩第一關鍵（是此高斌所定良法，當守之）。其唐家灣引河頭連年過水
後不免淤墊，經兩任河臣李奉翰勘估挑濬，現
已完工。今臣親往驗收如式。但毛城鋪石壩外圈壩
因倒溝自東而西，以致西壩頭沖刷殘缺，石壩東
邊長有淤嘴，殊覺有礙宣洩。臣與道將商酌，

硃

應將淤嘴（好）挑除，順接西土壩頭，照舊用料裹護，
以資捍禦。仍飭令所營，於將來大汛水長時，
謹遵
欽定章程，俟徐城水誌長至九尺五寸始行啟放，庶
於河防民田均有裨益。至所料物為修防必
需，上年秋汛後，督臣書麟與兩任河臣李奉
翰籌計數目，今春驗明如數，動工除重修動用

外復存爲伏秋防守之用今臣逐工親歷已屬充
足但各工內另險要數處存料尚恐不敷應再寬
爲儲備隨兩道將確核酌量添辦飭所購運齊
成將備竣收報臣親驗以期有備無患再臣經過
徐屬各州縣現在紛紛割麥一律豐稔五月以來時
霈雨旬非麥收甚爲有益大田禾苗亦俱暢茂
料價平減民情恬謐合併附陳所有臣查勘
徐屬黃河工料情形謹恭摺奏
聞伏乞
皇上睿鑒謹
奏　乾隆五十四年閏五月初四日奉
硃批覽奏俱悉欽此　五月二十日

再查前任河臣蘭第錫會同陞任撫臣伍拉納

具

奏黄河堤工應行揀擇要工培築請

旨動項辦理前蒙

俞允現在飭令各丞倅並添派附近州縣承領價銀分段興修此時桃汛已過瞬届伏汛應即加緊

趕辦臣自祥符之十二堡起歷過蘭陽儀封雎州各處逐加查察在工人員均各實力認真尚無懈怠臣當飭令各工員務須層土層硪工程結實以禦大汛倘稍有踈玩定即嚴行叅辦臣俟各工報竣之後親往騐收以仰副

聖主慎重河防之至意再臣經過歸德南陽汝寧陳州信陽等處察看二麥緑穗盈疇幾無隙地至所種秋糧亦俱出土二寸餘苗皆茁壯可觀雨水亦甚調匀糧價並皆平減合併陳明謹附片

奏

聞

河北總城早何未奏及

六〇四

奏

江南河道總督臣蘭第錫跪

奏為查勘徐州各屬黃河工料情形恭摺奏

聞事竊臣於五月初六日起程由黃河南岸桃源睢寧銅山蕭縣一帶勘至碭山交界即自該處渡河由北岸豐縣沛縣邳州宿遷等處挨工履勘查黃河水勢未甚加長徐州北門外誌樁存水六尺六寸測量中流水深二丈四五尺極為深暢兩岸堤工自豫東交界起至河口順黃壩週長一千一百餘里江境黃河水色稍清土性亦堅惟兩岸相距不遠灘面較窄坐灣之處比之河南更覺灣環曲折每逢一灣即成迎溜頂衝之勢以致險工較多所有本年春修工程臣查

照原估冊檔逐段丈量均屬如式間有尺寸不符及續行刷蟄加鑲高深之處臣量驗水勢嚴加查核均於修做冊内更正務令工歸實在不使稍有浮混徐州上下兩岸間段有山河流藉資約束睢寧邳州以下地勢平衍每多刷灘偏趨上年秋水頗大河形間有變遷如桃源北岸徐昇壩以西大溜日漸上提潰堤不止該處逼近運河甚有關係經道將督令廳營接做埽壩臣察看情形足資抵禦又宿虹南岸蔡家樓汛第三堡向本無工自去冬以至桃汛溜勢掃灣塌崖汕堤亦經該廳營鑲埽護住現在不致續塌但該處溜勢既已側趨仍須儲備料物以防大汛其餘各處或舊險今平可以停修或溜勢上提下移應行防範臣逐一存記隨時嚴查既不使稍有疎懈亦不許無事生工致滋冒銷之弊至江南黃河既宜分洩機宜全在減水閘壩而南岸各閘尤關緊要查睢寧境内之峯山四閘地勢高仰過水無多銅山境内之天然閘因

山為閘金門窄狹但離河太近閘下地形卑窪
開放過久難免浸漫民田曾經前河臣高斌奏
明非遇盛漲不得輕議啟放自應循照辦理惟
碭山境内之毛城鋪滚壩係碎石砌成石壩之
外圈築土壩兩頭用埽裹護外灘唐家灣又係
倒鈎引河最為節宣有制壩下由洪溝河入安
省之濉河以達洪澤湖去路亦暢實為分洩第
是此為緊要之處當留心
一關鍵其唐家灣引河頭連年過水後不免淤
墊經調任河臣李奉翰勘估挑濬現已完工今
臣到彼驗收如式但毛城鋪石壩外圈壩因倒
溝自東而西以致西壩頭沖刷殘缺石壩東邊
長有淤嘴殊覺有碍宣洩臣與道將商酌應將
好
淤嘴挑除順勢西土壩頭照舊用料裹護以資
攔禦仍飭令廳營於將來大汛水長時謹遵
欽定章程俟徐城水誌長至九尺五寸始行啟放庶
於河防民田均有裨益各廳料物為修防必需
上年秋汛後督臣書麟與調任河臣李奉翰籌
計發辦今春驗明如數到工除春修動用外餘

存為伏秋防守之用今臣逐工親點已屬充足
但各工內有險要數處存料尚恐不敷應再寬
為儲備隨與道將確核酌量添辦飭廳購運責
成將備監收報臣親驗以期有備無患再臣經
過徐屬各州縣現在紛紛割麥一律豐稔五月
以來晴霽兩旬於麥收甚為有益大田禾苗亦
俱暢茂糧價平減民情悅豫合併附陳所有臣
查勘徐屬黃河工料情形謹恭摺奏
聞伏乞
皇上睿鑒謹
奏
已奏俱悉
乾隆五十四年五月 二十 日

六〇五

李奉翰　河工平穩情形

奏

閏五月二十三日

河東河道總督臣李奉翰跪

奏爲奏報黄河水勢旋長旋消各工平穩仰祈

聖鑒事。竊臣於閏五月初一日自東省起身赴豫防汛，前經

具

奏在案。臣先由山東黄河曹單一路查勘堤埽等工，并收

驗歲修土工，逐段查丈簽試，均屬照估修竣。嗣於曹

考廳工次據報沁河於初五日陡長水三尺八寸，并據陝

州呈報萬錦灘於初八日長水四尺。臣隨於蘭陽李台

查勘新河頭，僅長水二尺九寸，所有大埧磨盤埽等工均

經鑲修高厚，足資抵禦。臣即從該處乘舟自北而南

測探長河水勢，中泓深一丈六七尺至二丈不等，流行迅

速，極爲深通暢達。其蘭儀廳屬十四堡迤東二三兩埧

前因溜勢側趋逼近大堤隨於二垻之下添做鷄嘴埽
垻并於該垻上下鑲做魚鱗護崖等埽六段以資挑
護并迤下三垻搶修埽工八段臣督同管河道善泰
逐加查驗并探量埽外水深二丈七八尺至三丈五六
尺而三垻裹頭並有深至四丈八九尺者皆因河勢趋
注緊溜淘刷所致今有新舊埽垻節節挑護不使溜刷
垠根頗為得力即汛水加長亦不致着重實與南堤有
益至以下儀封睢州各埽垻間有蟄矮之處均已隨時
鑲修平穩下游寧陵商虞等處堤埽防風亦俱完固
各處大河水勢旋長旋消不致瘞盛足以仰慰
聖懷臣先將南隄一帶各工料理後即赴上游一路查勘再臣
於黃河南北兩岸查工疊經澍雨優渥沿河一帶麦收
俱屬豐稔秋禾頗為暢茂所種晚秋亦已出土民情均
為歡忭合併陳明所有臣查過蘭陽以下兩岸工程平
穩及河水旋長旋消緣由理合恭摺具
奏伏乞
皇上睿鑒謹
奏

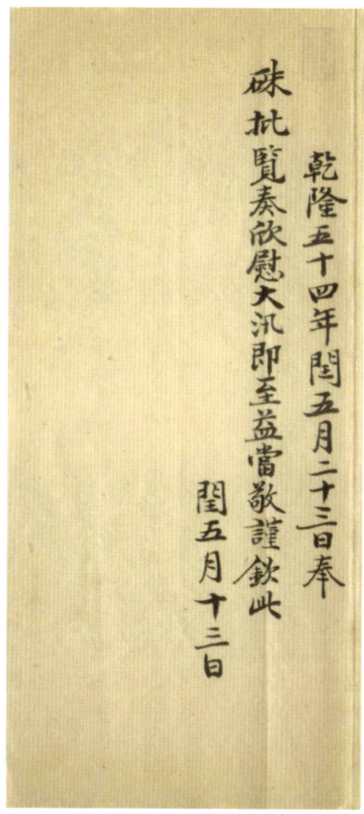

乾隆五十四年閏五月二十三日奉
硃批覽奏欣慰大汛即至益當敬謹欽此
閏五月十三日

奏

河東河道總督臣李奉翰跪

奏爲奏報黄河水勢旋長旋消各工平穩仰祈

聖鑒事竊臣於閏五月初一日自東省起身赴豫防

汛前經具

奏在案臣先由山東黄河曹單一路查勘堤埽等工并收驗歲修土工逐段查丈簽試均屬照估修竣嗣於曹考廳工次據報沁河於初五日陡長水三尺八寸并據陝州呈報萬錦灘於初八日長水四尺臣隨於蘭陽李六口查勘新河頭僅長水二尺九寸所有大壩磨盤埽等工均經鑲修高厚足資抵禦臣即從該處乘舟自北而南測探長河水勢中泓深一丈六七尺至二丈

不等流行迅速極爲深通暢達其蘭儀廳屬十
四堡迤東二三兩壩前因溜勢側趨逼近大堤
隨於二壩之下添做鷄嘴埽壩并於該壩上下
鑲做魚鱗護崖等埽六段以資挑護并迤下三
壩搶修埽工八段臣督同管河道善泰逐加查
驗并探量埽外水深二丈七八尺至三丈五六
尺而三壩裹頭並有深至四丈八九尺者皆因
河勢趨注緊溜淘刷所致今有新舊埽壩節節
挑護不使溜刷堤根頗爲得力即汛水加長亦
不致着重實與南堤有益至以下儀封睢州各
埽壩間有蟄矮之處均已隨時鑲修平穩下游
寧陵商虞等處堤埽防風亦俱完固各處大河
水勢旋長旋消不致壅盛足以仰慰
聖懷臣先將南堤一帶各工料理後即赴上游一路
查勘再臣於黄河南北兩岸查工疊經澍雨優
渥沿河一帶麥收俱屬豐稔秋禾頗爲暢茂所
種晚秋亦已出土民情均爲歡忭合併陳明所
有臣查過蘭陽以下兩岸工程平穩及河水旋

長旋消緣由理合恭摺具

奏伏乞

皇上睿鑒謹

奏

已奏總緣大風所致亦是實在致漫

乾隆五十四年閏五月　十三　日

六〇七

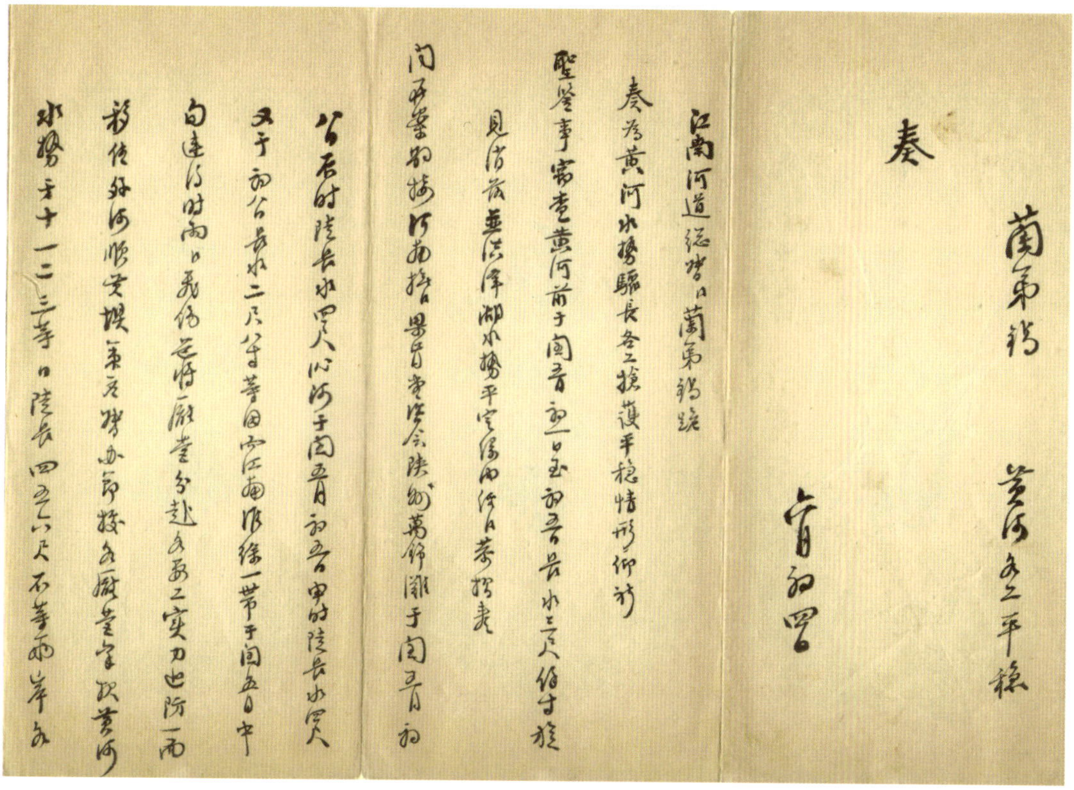

蘭第錫　黃河安瀾平穩

奏

[illegible]

江南河道總督臣蘭第錫跪

奏為黃河水勢驟長各工搶護平穩情形仰祈

聖鑒事竊查黃河前于閏五月初一日至初五日長水三尺八寸旋

見消落並洪澤湖水勢平穩緣由俱經奏報在

案茲據河南撫臣畢沅咨會陝州萬錦灘于閏五月初

六日午時陡長水四尺沁河于閏五月初五日申時陡長水四尺

又于初八日長水二尺八寸等因查江南豐碭一帶于閏五月中

旬連得時雨臣飭令各廳營分赴各工實力防護兩

岸俱獲平順安穩兹黃河

水勢于十一二三等日陡長四尺六寸不等兩岸各

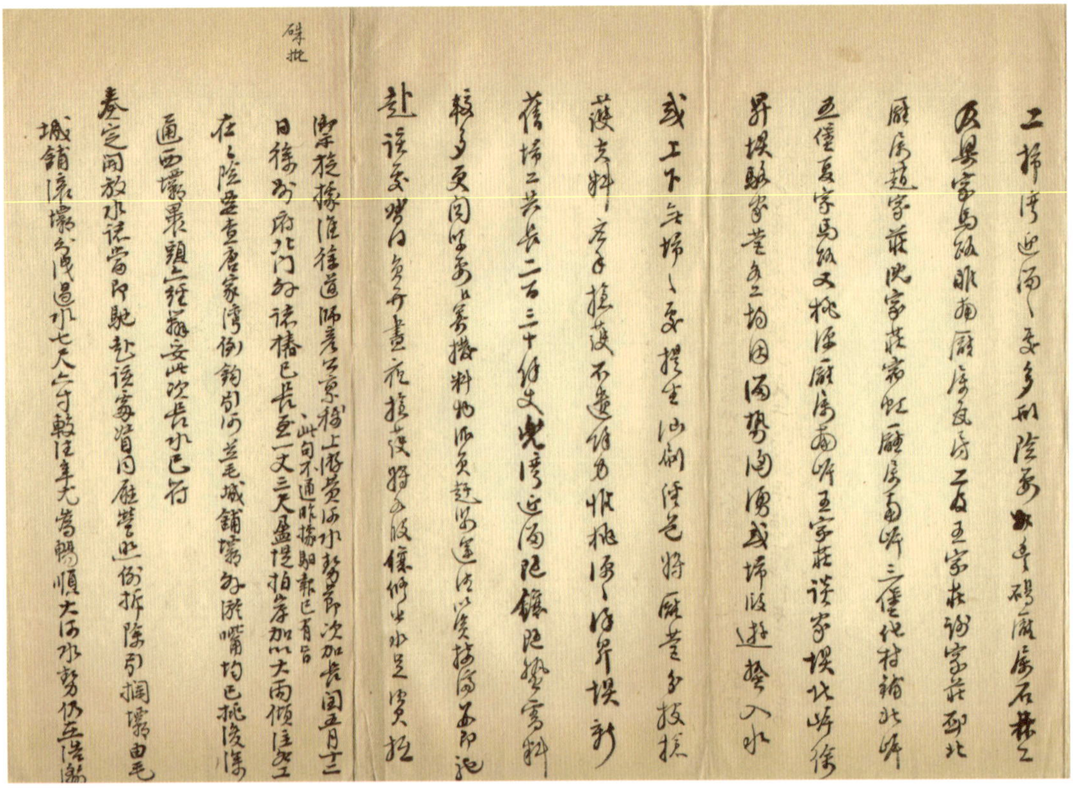

工埽灣迎溜，[illegible]多刷陷，[illegible]碼廠房石樁
及吳家馬頭、韓南廠房[illegible]字工及王家莊、劉家莊、西北
廠房趙家莊、沈家莊、[illegible]廳房南岸三堡[illegible]村舖北岸
五堡夏家馬頭、文[illegible]廳房南岸王家莊、談家堤，北岸後
界堤、駱家營各工，均因溜勢洶湧，或埽段[illegible]蟄入水，
或工下無埽之處，堤坐汕刷，隨飭將廳營多撥搶
護之料，一齊搶護，不意[illegible]界堤新
舊埽二共長二百三十餘丈，兜灣迎溜，隨鑲隨蟄，需料
較多，更因[illegible]撥料物，[illegible]接濟，即飭
赴該處購買，無分晝夜搶護，[illegible]

硃批

[illegible]據淮徐道[illegible]稱上游黃河水勢節次加長，閏五月十三
（此句不通，昨接驛報已有旨）
日[illegible]府北門外，該椿已長至一丈三尺，[illegible]加以大雨傾注，各工
在在險要，查唐家灣[illegible]並毛城鋪[illegible]均已[illegible]
通，西壩[illegible]經穩安，此次長水已符
奏定開放水誌，當即馳赴該處，督同廳營照例拆除引壩，由毛
城鋪滾壩分洩過水七尺六寸，較往年尤為暢順，大河水勢仍[illegible]

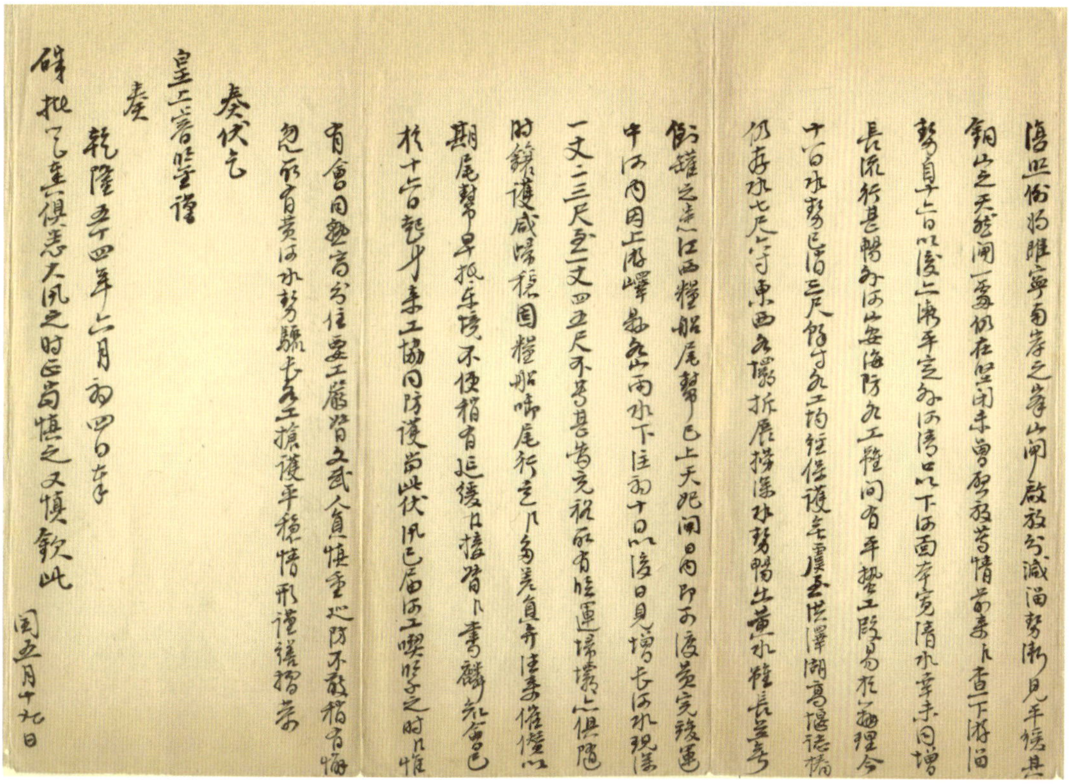

僅止俯將睢寧南岸之峰山閘啟放分減溜勢漸見平穩其

銅山之天然閘一處仍在堵閉未曾啟放前情前奏查下游溜

勢自十六日以後亦漸平定於河清口以下河面本寬清水雖未因增

長流行甚暢其河山安海防各工雖間有平墊工段易於籌理今

十六日水勢已消三尺所有各工均經保護無虞至洪澤湖高堰諸壩

仍存水七尺六寸東西兩壩拆展攔蓄水勢暢出黃水雖長亦當

銜接之處江西糧船尾幫已上天妃閘日內即可渡黃完竣運

中河內因上游嶧縣各山雨水下注前十日以後日見增長河水現漲

一丈二三尺至二丈四五尺不等甚為充裕所有糧運堤壩亦俱隨

時鑲護咸屬穩固糧船啣尾行走凡有差員弁等催儹以

期尾幫早抵東境不使稍有延緩臣接督臣書麟札會已

於十六日起身赴工協同防護當此伏汛已屆河工喫緊之時臣惟

有會同督臣分任要工廳營文武人員慎重巡防不敢稍有懈

忽所有黃河水勢驟長各工搶護平穩情形謹繕摺奏

聞伏乞

皇上睿鑒謹

奏

乾隆五十四年六月初四日奏

硃批覽奏俱悉大汛之時臣當慎之又慎欽此

閏五月十九日

奏

江南河道總督臣蘭第錫跪

奏為黃河水勢驟長各工搶護平穩情形仰祈
聖鑒事竊查黃河前於閏五月初一日至初五日長
水三尺餘寸旋見消落並洪澤湖水勢平定緣
由經臣恭摺奏
聞在案嗣接河南撫臣梁肯堂咨會陝州萬錦灘於
閏五月初八日辰時陡長水四尺沁河於閏五
月初五日申時陡長水四尺又於初八日長水
二尺八寸等因而江南淮徐一帶於閏五月中
旬連得時雨臣飛飭道將廳營分赴各要工實
力巡防一面移住外河順黃壩策應督辦節據
各廳營稟報黃河水勢於十一二三等日陡長

四五六尺不等兩岸各工掃灣迎溜之處多形險要如豐碭廳屬石林工及梁家馬路睢南廳屬瓦房工及王家莊謝家莊邳北廳屬趙家莊沈家莊宿虹廳屬南岸三堡化村舖北岸五堡夏家馬路又桃源廳屬南岸王家莊談家壩北岸徐昇壩駱家營各工均因溜勢洶湧或埽段遊蟄入水或上下無埽之處提坐汕刷經道將廳營分投搶護夫料應手搶護不遺餘力惟桃源之徐昇壩新舊埽工共長二百三十餘丈兜灣迎溜隨鑲隨蟄需料較多更關緊要臣籌撥料物派員趕緊運往以資接濟并即馳赴該處督同員弁晝夜搶護將各段鑲修出水足資抵禦旋據淮徐道師彥公禀稱上游黃河水勢節次加長閏五月十二日徐州府北門外誌樁已長至一丈三尺盈堤拍岸加以大雨傾注各工在在險要查唐家灣倒鈎引河並毛城舖壩外淤嘴均已挑浚深通西壩裹頭亦經辦妥此次長水已符

[illegible]

奏定開放水誌當即馳赴該處督同廳營照例拆除引河攔壩由毛城鋪滚壩分洩過水七尺六寸較往年尤為暢順大河水勢仍在浩瀚復照例將睢寧南岸之峯山閘啟放分減溜勢漸見平緩其銅山之天然閘一處仍在堅閉未曾啟放等情前來臣查下游溜勢自十六日以後亦漸平定外河清口以下河面本寛清水幸未同時增長流行甚暢外河山安海防各工雖間有平蟄工段易於辦理今十八日水勢已消三尺餘寸各工均經保護無虞至洪澤湖高堰誌樁仍存水七尺六寸東西各壩拆展撈深水勢暢出黄水雖長並無倒灌之患江西糧船尾幫已上天妃閘日内即可渡黄完竣運中河内因上游嶧縣各山雨水下注初十日以後日見增長河水現深一丈二三尺至一丈四五尺不等甚為充裕所有臨運埽壩亦俱隨時鑲護咸歸穩固糧船御尾行走臣多差員弁往來催儹以期尾幫早抵東境不使稍有延緩臣接督臣書麟

知會已於十六日起身來工協同防護當此伏汛已屆河工喫緊之時臣惟有會同熟商分往要工嚴督文武人員慎重巡防不敢稍有懈忽所有黃河水勢驟長各工搶護平穩情形謹繕摺恭
奏伏乞
皇上睿鑒謹
奏

已奏經秋大汛之時正當慎之又慎

乾隆五十四年閏五月　十九　日

六〇九

奏

臣李奉翰臣梁肯堂跪

奏為河水陡長各工搶護平穩仰慰

聖懷事竊查前次沁河黃河水勢旋長旋消情形當

經臣李奉翰於閏五月十三日恭摺具

奏後即由北岸前赴上游祥陳陽封滎澤武陟等處巡防沁河黃河一帶各工十七十八等日澍雨連宵據陝州呈報萬錦灘於閏五月十九日又長水四尺鞏縣呈報洛河長水二尺七寸臣等當即飛飭南北兩道印河各員加緊防護去後旋據上北曹考曹單等廳陸續報長水五六尺至八尺五寸又據上南下南蘭儀睢寧等廳報長水五尺五寸至七尺九寸不等所有南岸

之楊橋黑堽並蘭陽睢州上下各埽壩及北岸
之祥符十二堡等工均有坍矮蟄陷之處各廳
營汛加緊搶辦咸臻穩固其下北廳屬之銅瓦
廂工報長水九尺連底水共二丈二尺查該工
河勢由西南直注東北係屬迎溜之處水勢陡
長大溜洶湧致將二十八埽至三十九段舊埽
掀揭蟄塌埽外水深三丈二三尺至四丈三四
尺不等隨鑲隨蟄傷及堤坡勢甚險要臣李奉
翰星夜馳抵該工督同河北道唐侍陛調撥鄰
汛之都司備弁并添調兵夫分投搶護臣梁肯
堂專委陞任陝西漢興道趙載元來工幫同搶
辦仰賴
聖主福庇雨霽天晴料物錢糧應手兵夫雲集兩晝
夜上緊趕辦今已將蟄塌各埽俱一律搶鑲完
固足資抵禦各工水勢現亦漸報消落三四尺
不等今年未經入伏即值陰雨連綿河水陡長
所幸前次長水之後消退迅速此時水復加長
不致過於壅盛查二十五日即交初伏往後大
汛正長河水長消靡定臣等惟有益加敬慎督

是知道了

汛正長河水長消靡定臣等惟有益加敬慎督防不敢稍遺餘力再查各處臨河埽壩工程禦黄挑溜固屬最為緊要而兩岸長堤一經水勢漫灘漾至堤根則在在均須防範該管汛員如值風雨昏夜恐難兼顧是以臣等先經會商將河工効力人員並現任河員内汛務稍簡之員一併飭調來工派定處所令其分段防守其沿河近堤各州縣現亦次第到工協防臣梁肯堂并遴委勤幹縣令數員帮同巡防南北兩岸要工均已星羅棊布節節有人臣等現在適中之蘭陽一帶上下往來南北策應凡有應須商辦之處隨時就近會商妥為料理董率各官實心協力慎重修防務期保護平穩以仰副我

皇上廑念河工之至意至於南北兩岸河灘地勢高低不一此二次水長之時高灘尚未漫水窪處已經普漫今水漸消落臣等沿途測探窪地俱受新淤二三尺不等合併陳明所有伏前河水陡長各工搶辦穩固情形理合恭摺奏

聞仰慰

聖懷伏乞

皇上睿鑒謹

奏

以手加額敬感之至欣慰何似

乾隆五十四年閏五月　二十四　日

六一〇

書麟
蘭第錫
黄河水勢續長各工搶護
平穩情形

奏

六月初三日

臣書麟臣蘭第錫跪

奏為黄河水勢續長各工搶護平穩情形恭摺奏

聞事竊照黄河因豫省萬錦灘暨沁河水勢陡長下

注於閏五月十一二三等日下游驟漲搶護各

工情形當經臣等前後奏蒙

聖鑒嗣臣書麟於二十日行抵河口與臣蘭第錫會

商正在分投查勘間復據河南陝州馳報萬錦

灘於閏五月十九日子時陡長水四尺現在長

落未定等情江南黄河前次長發之後因開放

毛城鋪峯山閘分減已漸消落三尺餘寸今自

二十日午後起復又加長據淮徐道稟報徐城

北門外誌樁於二十二日又長至一丈三尺六

硃批：此係向來陋習語何不明白書漸長

寸来水甚驟勢甚浩瀚徐屬各工前經搶出水
面者此次又復平水漫水均已督率加鑲保護
無虞等情河口順黄壩自二十一日至二十四
日長水四尺壩工屢經加鑲且有上游木龍三
架挑護甚為得力陶莊引河大溜暢行益見深
通惟引河尾與清水會合之處壩嘴挺峙挑黄

硃批

東注不使倒灌最關緊要臨黄一面埽工久未
鑲修今溜勢逼近不使令其塌卸臣等會商飭
令廳營趕緊接築搶鑲以資攔護其洪澤湖内（是）
自二十二日起每日加長一二寸不等高堰誌
椿現存水九尺臣等並即督令廳營將已經拆
展之東清禦黄兩壩再行展拓撈深使之暢出
清口又運中河内水亦有長無消由楊家莊口
門入黄之處溜頗湧急下游外河山安海防一
帶因河口三股水勢滙流下注兩岸埽壩亦多
險要仰賴

硃批

聖主洪福連日天氣晴朗料物應手各工一律搶鑲
平穩堪資抵禦（幸）至江西尾幫漕船已於二十五

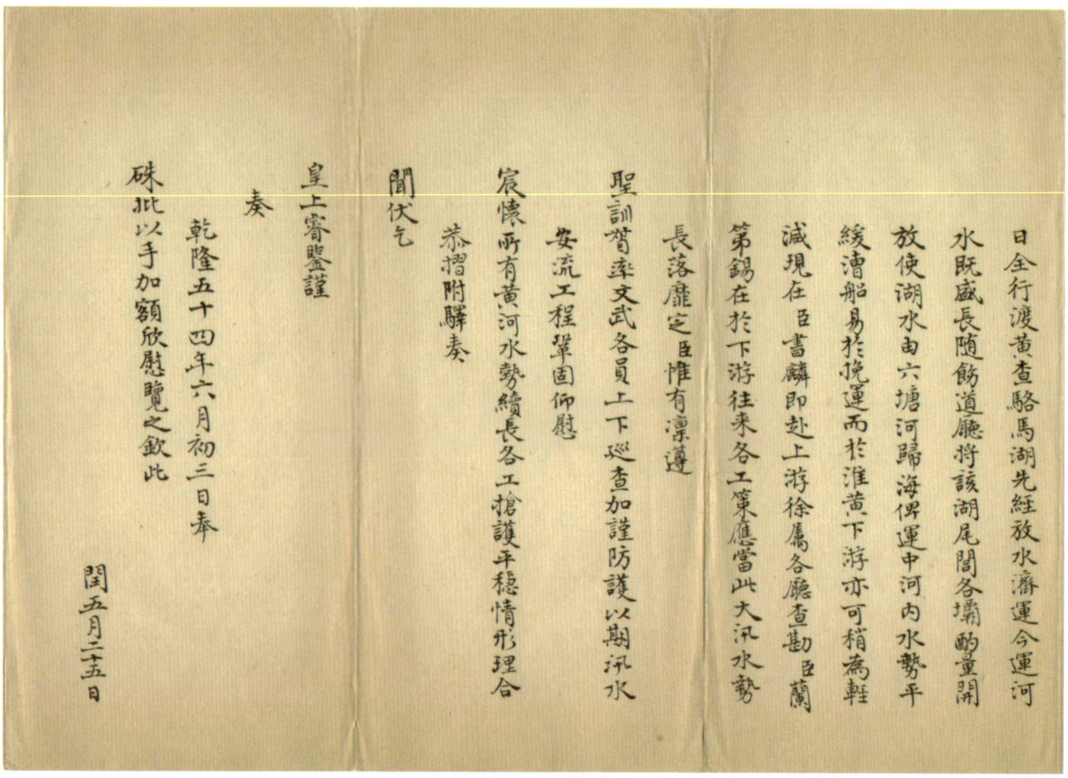

日全行渡黄查駱馬湖先經放水濟運今運河
水既盛長隨飭道廳將該湖尾閭各壩酌量開
放使湖水由六塘河歸海俾運中河内水勢平
緩漕船易於挽運而於淮黄下游亦可稍爲輕
減現在臣書麟即赴上游徐屬各廳查勘臣蘭
第錫在於下游往來各工策應當此大汛水勢
長落靡定臣惟有凜遵
聖訓督率文武各員上下巡查加謹防護以期汛水
安流工程鞏固仰慰
宸懷所有黄河水勢續長各工搶護平穩情形理合
恭摺附驛奏
聞伏乞
皇上睿鑒謹
奏
乾隆五十四年六月初三日奉
硃批以手加額欣慰覽之欽此
閏五月二十五日

六一

奏

臣書麟臣蘭第錫跪

奏為黃河水勢續長各工搶護平穩情形恭摺奏

聞事竊照黃河因豫省萬錦灘暨沁河水勢陡長下注於閏五月十一二三等日下游驟漲搶護各工情形當經臣等前後奏蒙

聖鑒嗣臣書麟於二十日行抵河口與臣蘭第錫會商正在分投查勘間𣻎據河南陝州馳報萬錦灘於閏五月十九日子時陡長水四尺現在長落未定等情江南黃河前次長發之後因開放毛城鋪峯山閘分減已漸消落三尺餘寸今自二十日午後起復又加長據淮徐道禀報徐城北門外誌樁於二十二日又長至一丈三尺六

[illegible]

寸來水甚驟勢甚浩瀚徐屬各工前經搶出水
面者此次又復平水漫水均已督率加鑲保護
無虞等情河口順黃壩自二十一日至二十四
日長水四尺壩工屢經加鑲且有上游木龍三
架挑護甚為得力陶莊引河大溜暢行益見深
通惟引河尾與清水會合之處壩嘴挺峙挑黃
東注不使倒灌最關緊要臨黃一面埽工久未
鑲修令溜勢逼近不便令其塌卸臣等會商飭
令廳營趕緊接築搶鑲以資攔護其洪澤湖內
自二十二日起每日加長一二寸不等高堰誌
樁現存水九尺臣等並即督令廳營將已經拆
展之東清禦黃兩壩再行展拓撈深使之暢出
清口又運中河內水亦有長無消由楊家莊口
門入黃之處溜頗湧急下游外河山安海防一
帶因河口三股水勢滙流下注兩岸埽壩亦多
險要仰賴
聖主洪福連日天氣晴明料物應手各工一律搶鑲
平穩堪資抵禦至江西尾幫漕船已於二十五

日全行渡黃查駱馬湖先經放水濟運令運河
水既盛長隨飭道廳將該湖尾閘各壩酌量開
放使湖水由六塘河歸海俾運中河內水勢平
緩漕船易於挽運而淮黃下游亦可稍為輕減
現在臣書麟即赴上游徐屬各廳查勘臣蘭第
錫在於下游往來各工策應當此大汛水勢長
落靡定臣等惟有凜遵
聖訓督率文武各員上下巡查加謹防護以期汛水
安流工程鞏固仰慰
宸懷所有黃河水勢續長各工搶護平穩情形理合
恭摺附驛奏
聞伏乞
皇上睿鑒謹
奏

以手加額欣慰覽

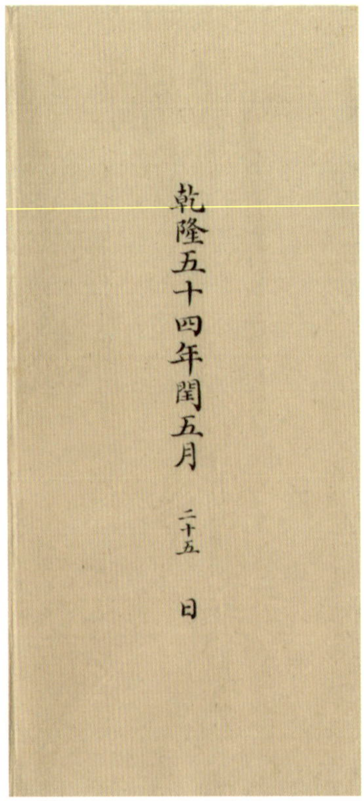

乾隆五十四年閏五月二十五日

六一二

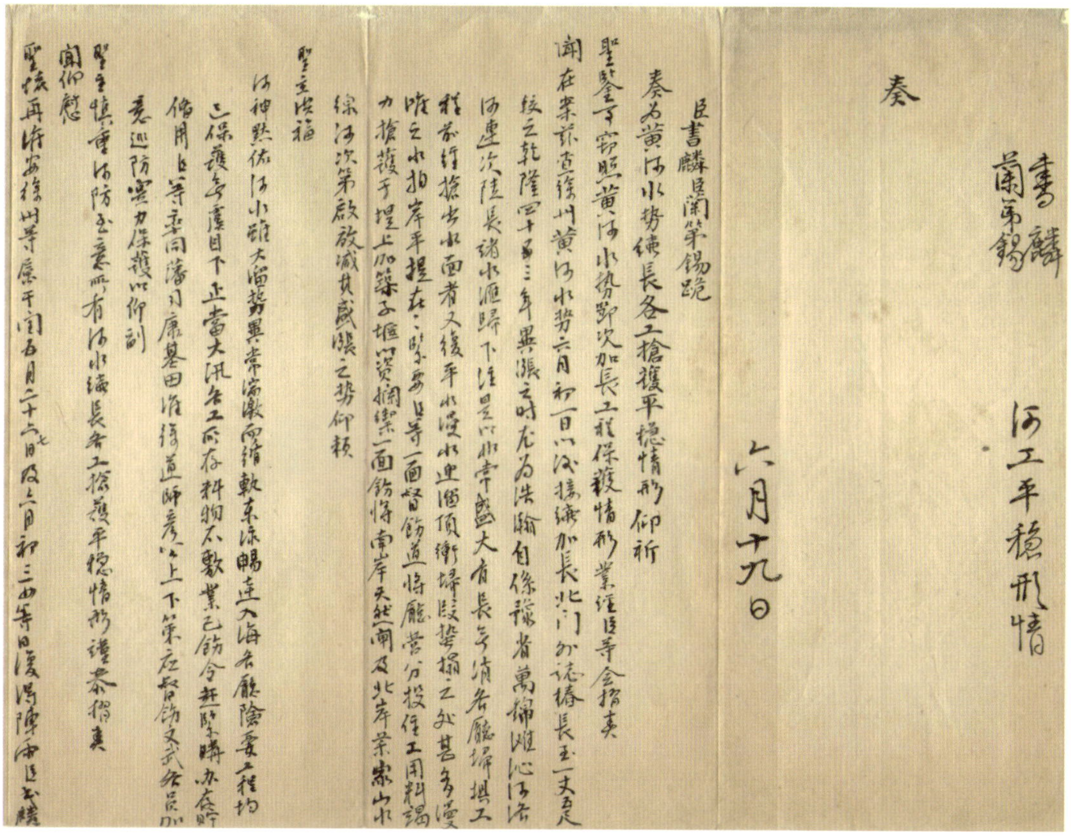

奏

書麟
蘭第錫

河工平穩形情

六月十九日

臣書麟臣蘭第錫跪
奏爲黄河水勢續長各工搶護平穩情形仰祈
聖鑒事竊照黄河水勢節次加長工程保護情形業經臣等會摺奏
聞在案茲查徐州黄河水勢六月初一日以後接續加長北門外誌樁長至一丈五尺
餘之較之乾隆四十三年異漲之時尤爲洪驗自係豫省萬錦灘沁河洛
河連次陡長諸水匯歸下注是以水常盛大有長無消各廳埽壩工
程皆行擦出水面者又復平水漫水連迴頂衝埽段蟄塌之處甚多漫
唯之水拍岸平堤在在吃緊臣等一面督飭道將廳營分投催工周料竭
力搶護于堤上加築子堰以資擱禦一面飭將南岸天然閘及北岸榮家山水
閘次第啟放減其盛漲之勢仰賴
聖主洪福
河神默佑河水雖大溜勢異常湍激而循軌東流暢達入海各廳險要工程均
已保護無虞目下正當大汛各工所存料物不敷業已飭令趕緊購辦以資
備用臣等率同藩司康基田淮徐道師彥公上下策應督飭文武各員加
意巡防竭力保護以仰副
聖主慎重河防至意所有河水續長各工搶護平穩情形謹恭摺具
奏伏乞
聞仰慰
聖懷再淮安徐州等屬于閏五月二十六七日及六月初三四等日復得陣雨臣書麟

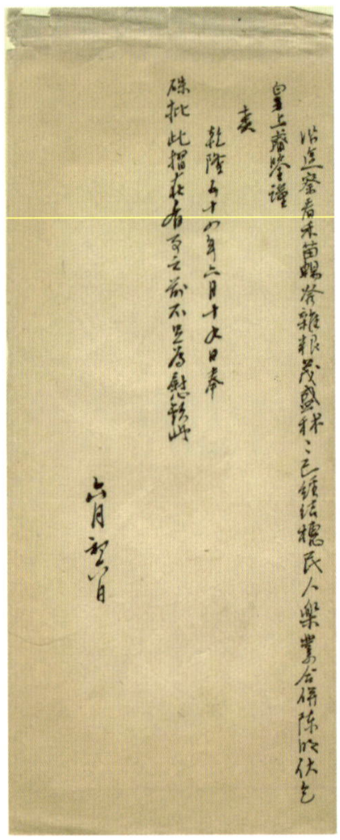

沿途察看禾苗暢發雜糧茂盛秫秫已經結穗民人樂業合併陳明伏乞

皇上睿鑒謹

奏

乾隆五十四年六月十六日奉

硃批此摺在甫雨之前不足為慰欽此

六月[illegible]日

六一三

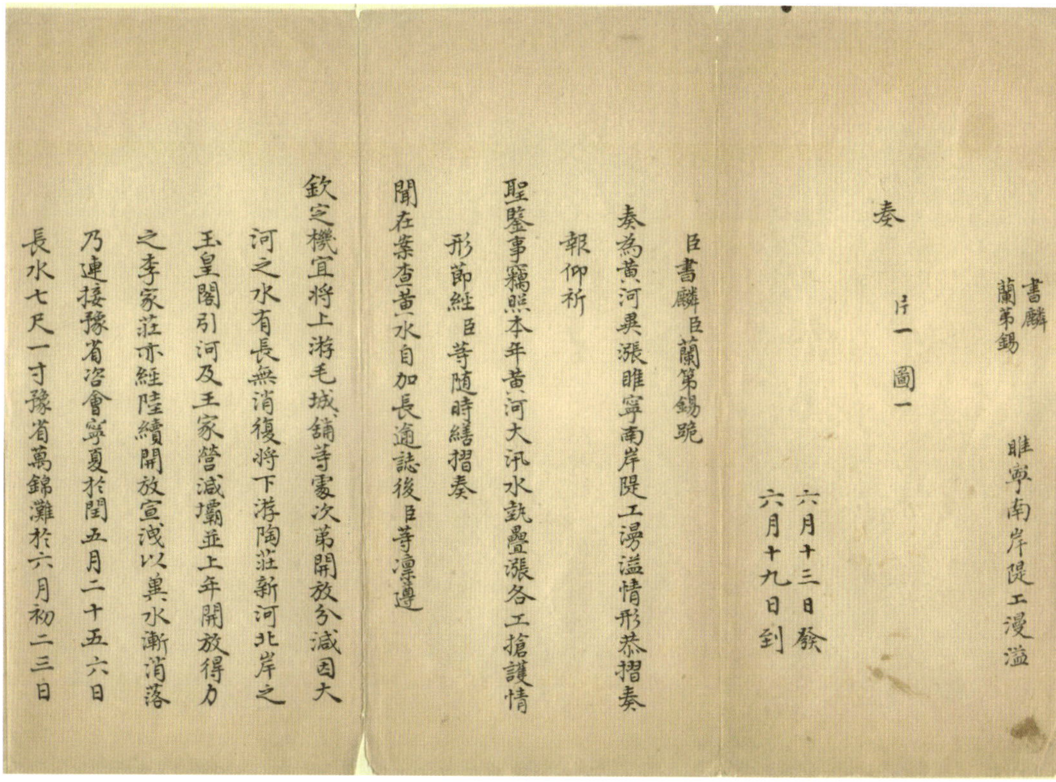

書麟
蘭第錫
睢寧南岸隄工漫溢

奏
片一
圖一

六月十三日發
六月十九日到

臣書麟臣蘭第錫跪
奏為黄河異漲睢寧南岸隄工湯溢情形恭摺奏
報仰祈
聖鑒事竊照本年黄河大汛水勢疊漲各工搶護情
形節經臣等隨時繕摺奏
聞在案查黄水自加長逾誌後臣等凜遵
欽定機宜將上游毛城鋪等處次第開放分減因大
河之水有長無消復將下游陶莊新河北岸之
玉皇閣引河及王家營減壩並上年開放得力
之李家莊亦經陸續開放宣洩以冀水漸消落
乃連接豫省咨會寧夏於閏五月二十五六日
長水七尺一寸豫省萬錦灘於六月初二三日

先後陡長水九尺沁河於六月初二三日陡長水四尺七寸江省洪澤湖内因淮水節次長發高堰誌樁於六月初十日連底水長至一丈二尺五寸下游清黃並漲去路雖暢無如來水日增徐城北門外誌樁於六月初十日連桃汛之水長至一丈五尺三寸為十數年來未有之盛漲溜勢洶湧異常各廳埽壩固已平水湧水紛紛衝蟄搶廂不已且溜勢上提下坐之處頗多無工處亦多喫重臣書麟在上游豐碭北岸石林迤下之滕家馬路搶護臣蘭第錫在下游桃源南岸王家莊等處搶險藩司康基田及各道將府廳俱各在險要處所分投搶辦初十日接據淮徐道師彥公等稟報睢寧縣南岸之周家樓無工處大溜直趨始則塌崖繼則塌潰堤身正在竭力搶護間於初九夜間狂風驟雨陣水擁溜高起數尺漫過隄頂搶護不及致將隄身刷開臣等聞之不勝驚惶悚懼隨各馳至周家樓查勘口門已刷寬一百餘丈臣等當即用料

設法搶護奈淄瀜洶湧土性浮鬆仍在潰塌不
已測量口門水深四丈以外大河溜勢已有一
半分趨入口該處在睢寧縣之東南漫溢下注
之水由舊河形入沈家湖從歸仁堤出安河之
陡門歸洪澤湖漫水經過地方並無城垣被淹
村莊人口尚無損傷廬舍間有倒塌臣書麟現
已飛飭府縣親往查勘料理并帶銀錢麪饝到
處先為撫䘏不使失所至今年洪湖水本大東
清禦黄兩壩早經全行拆除使之由清口暢出
歸海高堰誌樁雖經長至一丈二尺以上臣等
以山盱五壩封土尚高派員駐彼防守不使輕
議開放今周家樓漫下之水既入洪湖此後湖
水自必日有增長五壩自不便全行固守恐致
堰盱石工著重臣等已飛飭淮揚道成汝舟將
此實無可如何之計也
五壩內智字一壩先行啟放分洩下游高寶諸
湖底水本小尚可容納此後再看情形相机辦
理至周家樓漫溢後只有黄河下游宿虹桃源
兩廳水落工平其餘上下各廳水未見消秋汛

硃

蹕至一切工程尤須加謹防護其在漫口迤上
十五里之魏工本爲睢南廳屬極險之工近
日水湧溜急各段埽壩間有蟄塌潰及堤身情
形甚險仍在搶辦臣等現在一面率屬照舊修
防一面將漫溢處所先行趕護裹頭并將集料
籌堵以及疏濬各事宜（竭力敬慎爲之）悉心會商另行具
硃
奏伏念臣書麟協防有年并蒙
皇上天恩畀以總督重任兼管河務屢奉
聖訓指示修防乃不能先事預籌致堤工漫溢上煩
睿慮獲罪甚重悚惕難安臣蘭第錫奉
命調任南河叨沐
硃恩至優極渥河務是爲專責乃不能寔力防範寔
屬辜負
皇恩罪無可辭惟有仰懇
硃
聖主將臣等嚴加治罪以爲貽悮河工者戒至專管
之廳營除（且當盡力增築事定自有成例）署守備阜采已於魏工塌埽落水淹（可憐）
斃現在附片具
奏外所有睢南同知徐光第相應請

旨革職仍令隨同晝夜堵辦俟工竣照例著賠再令

回籍其餘道將汛員及地方各官疏防職名容

臣等查明照例

題參謹先合詞由驛奏

聞并將漫溢情形繪圖貼說恭呈

御覽伏乞

皇上聖鑒臣等不勝悚惶戰慄之至謹

奏

乾隆五十四年六月十九日奏

硃批即有旨諭欽此

六月十三日

再魏家莊各段埽填蟄塌現在搶護其第十七
段係挑溜大埽尤為通埽關鍵必須慎重防護
十一日晚溜水湧激蟄陷藩司康基田帶同署
睢南營守備卓采及兵役人等上埽鑲墊搶護
忽大溜直射將埽衝翻倒塌時該司與守備卓
采及兵役人等俱站立埽邊隨埽翻入水庄康
基田為埽所壓回大溜迴旋埽復衝起該司亦
隨埽上浮旋經多人撈救幸得生現在照舊辦事
其餘兵役人等俱各跑搶上岸惟守備卓采兵
丁胡錦二人及該司家丁李全任瑞隨埽飄淌
當將李全任瑞隨時撈起并用小船赶救於數
里外將兵丁胡錦救獲其署守備卓采赶救無
獲復多差水手前往下游打撈尚無蹤跡合併

陳明謹

奏

乾隆五十四年六月十九日奉

硃批覽欽此

六一四

書麟
蘭第錫
睢寧南岸堤工漫溢○

奏片一
圖一

六月十九日

臣書麟、臣蘭第錫跪
奏爲黃河異漲睢寧南岸堤工漫溢情形，恭摺奏報，仰祈
聖鑒事。切照本年黃河伏汛水勢疊漲，各工搶護情形，節經臣
等隨時據實摺奏
聞。茲查黃水自加長逾速，臣等將遵
欽定機宜，將上游毛城鋪等處次第開放分減，因大河之水有
長無消，復將下游陶莊新河北岸之玉皇閣引河及王
營減壩並上年開放之李家莊二涵洞一律開放宣洩，以
冀水漸消落。乃連接豫省咨會，陝省於閏五月二十五六
日長水丈尺一寸，豫省萬錦灘於六月初二三日先後陡長
水九尺，沁河亦於六月初二三日陡長水四尺七寸，江省洪澤湖
內因淮水節次長發，高堰誌樁於六月二十日連底水長至一丈
二尺五寸，下游清黃並漲，去路難暢矣。如素水日增，徐城北門

外誌橋於六月初十日連漲桃汛之水長至一丈五尺三寸為十
數年未有之險漲湍勢洶湧異常而所埽壩固之平
水漫水勢之衝蟄於廂不及且湍勢上提下坐之處頗多
矣工處亦多吃重即如北岸石林迤下之滕
家馬路於護之蘭第錫至下游桃源南岸王家庄等處於
險蓄引原基因而道將為所仍分至險要處分投於
初十日據該淮徐道師彥公等稟報睢寧縣南岸之周
家樓去工處大溜直趨坐灣頂衝埽壩潰塌堤身正在竭
力搶護間於初九夜間狂風驟雨陣水擁溜高起數尺
漫過堤頂搶護不及致將堤身刷開口等聞之不勝駭惶
悚懼隨即馳至周家樓查勘口門已刷寬一百餘丈口等
當即用料設法搶護奈溜勢洶湧土性浮鬆仍至潰
塌不已測量口門水深四丈以外大河溜勢已有一半分趨入
口該處至睢寧縣之東南漫溢下注之水由舊河形入洪澤
湖從歸仁堤出安河之陡門歸洪澤湖漫水經過地方豆
麥棉花被淹村庄人口尚無損傷房舍間有倒塌即如藍
現已飛飭府縣親往查勘料理並帶銀錢散給司處
查為推卸不使失所至今年洪澤湖水本大未清黃兩
壩早經全行拔除使之由清口暢出歸海高堰誌橋點經長

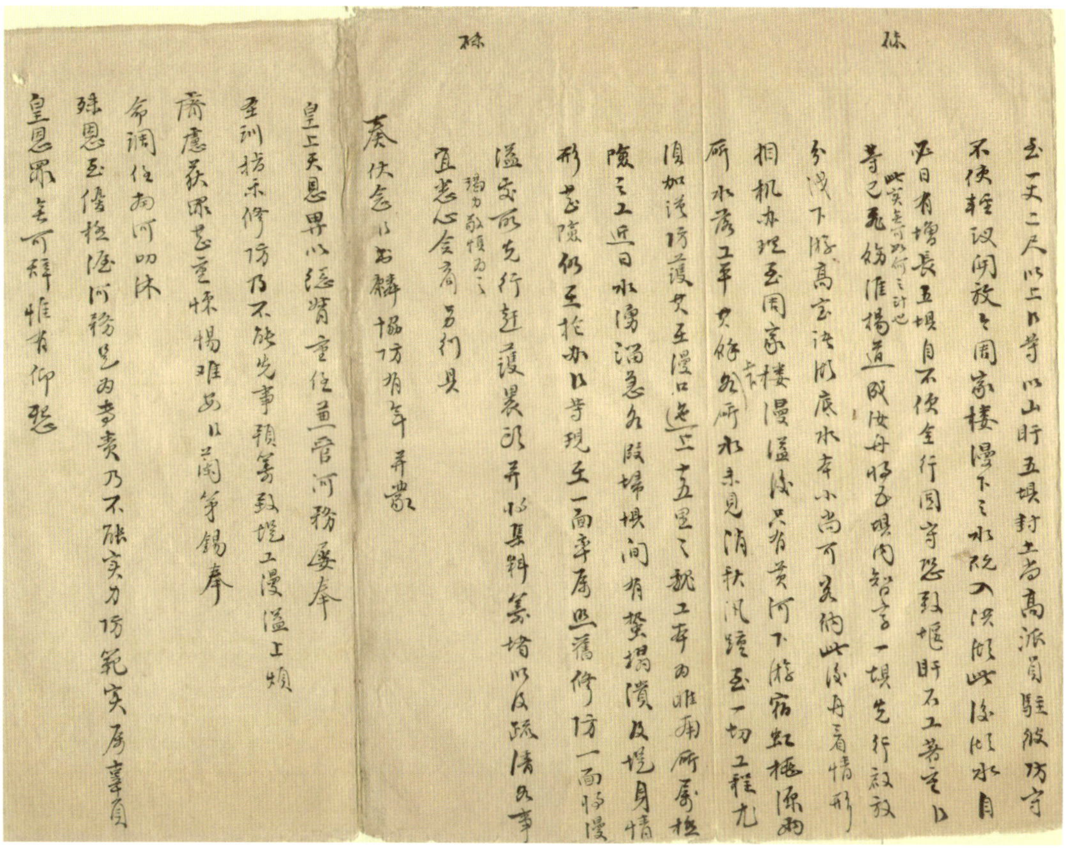

硃　　硃

至一丈二尺以上乃等以山盱五壩封土尚高派員駐紮防守
不使輕設開放々閘家樓漫下之水既入洪湖此後湖水自
必日有增長五壩自不使全行閉守恐致堰盱石工著重乃
等已飭准揚道此實無可如何之計也成俊將壩內智字一壩先行啟放
分洩下游高寶諸湖底水本小尚可容納此後再看情形
相機辦理至閘家樓漫溢係只有黃河下游宿虹桃源兩
所水旁工平其餘各所水未見消秋汛總至一切工程尤
須加謹防護其至漫口迤上十五里之龍工奉由睢南所屬極
險之工近日水勢洶急各段埽壩間有蟄揭潰及堤身情
形甚險仍立飭該道等現在一面率屬照舊修防一面將漫
溢處所先行趕護裹頭并將集料築堵以及疏濬各事
竭力敬慎為之
宜悉心會商另行具
奏伏念臣以菲材協防有年弄叢
皇上天恩畀以總督重任並管河務屢奉
聖訓指示修防乃不能先事預籌致堤工漫溢上煩
宸慮獲罪甚重悚惕難安臣蘭第錫奉
命調任兩河叨沐
殊恩至優極渥河務是臣專責乃不能實力防範實屬辜負
皇恩罪無可辭惟有仰懇

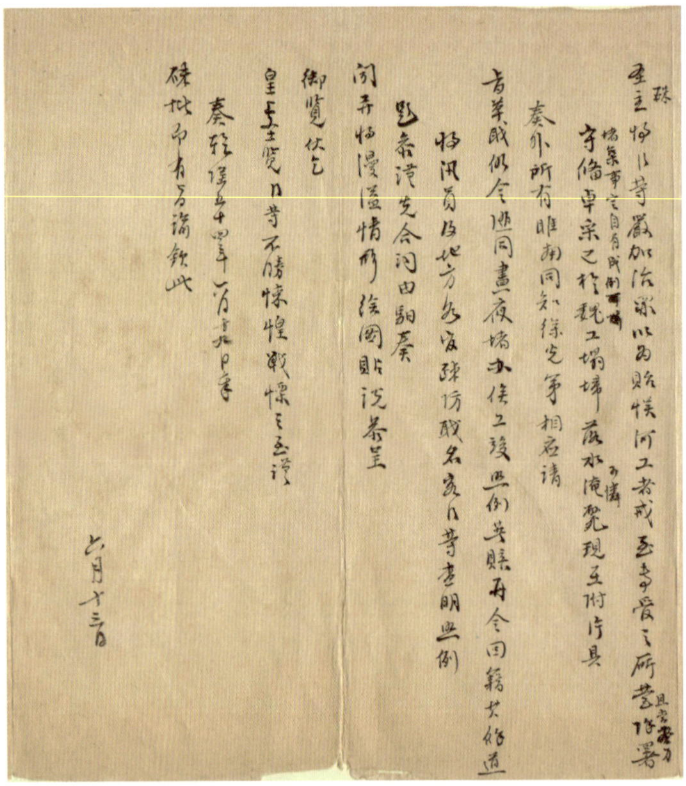

硃
聖主將臣等嚴加治罪，以為貽誤河工者戒。至事後之所當作，[且當努力]
[協築事宜自有成例可循]守備卓宗之於挑工堵埽[不備]疏於防範，現在附片具
奏外，所有睢州同知徐光第相應請
旨革職，仍令熊同晝夜堵築，俟工竣無例並賠，再令回籍，其餘道
將汛員及地方各官弁分別議處，臣等查明照例
題參，謹先合詞由驛奏
聞，并將漫溢情形繪圖貼說恭呈
御覽。伏乞
皇上聖鑒。臣等不勝悚惶戰慄之至。謹
奏。乾隆五十四年六月十九日奉
硃批：另有旨諭。欽此。

六月十三日

六一五

奏

河東河道總督李長森跪

奏爲豫東黄河伏汛安瀾並秋前水勢盛漲兩岸

險工搶鑲拋護平穩恭摺仰祈

聖鑒事竊照堵勸懷慶府賦匪並稽防渡口各情形

節經會

奏在案兼旬以來據陝州呈報萬錦灘黄河於六

月十八二十五等日兩次共長水一丈一尺五

寸黄沁廳呈報武陟沁河於六月初十十五十

六等日三次共長水七尺二寸接續下注加以

大雨頻仍伊洛瀍澗之水匯流入黄浩瀚汪洋

勢甚湍激各廳誌樁有四時之間驟長水五六

尺三日之内積長水八九尺之處兩岸埽壩紛

紛蟄塌並有潰卸隄頂三四丈者危險異常幾
至搶辦不遑幸先經劄調河北道蔣啟敭出省
駐劄蘭陽廟工上下策應南岸工程責成署開
歸道張昀往來督辦道庫空虛錢糧不能應手
多方設法挪借並向各錢鋪通融始克搶鑲拋
護無虞漸臻平定現雖水勢見消而水長下卸
水落上提趨刷搜淘各埽正須盤壓察看大溜
暢達東行伏汛已過順軌安瀾洵堪仰慰
聖懷所有先經鑲壓穩實埽段謹繕另片恭呈
御覽餘俟勘核續
奏惟秋汛為日正長來源無定工程平險莫測各
廳料物夫工用多存少亟須籌添查每年伏前
應備防險銀錢應添甎石工料向以司庫例撥
防險找撥不敷二項支發本年司中未曾依時
報撥五月初正在趕辦土工適賊匪由皖入豫
直撲汴梁兩岸震動人夫各自回家遷避頓時
星散當經𧗠飭令道廳將已領未辦土工銀錢
先劃作防險添料之需並由廳措墊庶入伏前

後搶工得免遲誤隨後司庫欠撥之款發到祇
能作為補辦土工及歸還秋前外借之用是現
須添辦稭麻夫工無項可指不得不將秋汎防
險一款照案
奏請添撥已於另摺具陳并祇有督飭各道妥慎
經理以期用省得當不任枉費一面通行各委
員於長隄星羅碁布協同廳營周密巡防並疏
消灘水酌鑲防風護禦務保無虞以仰副
聖主慎重河防保衛民生至意所有伏汎安瀾緣由
理合恭摺具
奏伏乞
皇上聖鑒再上兩次黄河陡長飭據陜州補報萬錦
灘於五月二十五日未酉二時共長水七尺六
月初四日酉時長水三尺二寸合併聲明謹
奏

覽奏各情形知道了

咸豐三年七月初十日

六一六

奏

臣書麟臣蘭第錫跪

奏為欽奉

上諭恭摺覆奏事竊臣等於六月初九日承准大學
士伯和珅字寄内閣乾隆五十四年六月初三
日奉

上諭據書麟等奏黄河水勢續長各工搶護平穩情
形一摺覽奏欣慰以手加額惟閲摺内稱徐城北
門外誌樁於閏五月二十二日又長至一丈三尺
六寸等語而河上游水勢消長均不過三四尺則
徐城誌樁長水尺寸自亦相仿書麟等何不將新
長之水奏報乃以底水一併算入報稱長至一丈
三尺餘寸試思暴漲至一丈有餘再加底水如此

水勢浩瀚何以抵禦此係向来河工陋習故作此
語以為水勢盛長伊等搶鑲平穩更見奮勉朕久
經洞悉特未為指出但水勢消長奏報自應據實
以慰朕懷况現届大汛之時該督等在工防守正
當盼長水較小庶易於保護何得轉為此暴漲之
語尤屬措詞失當著傳諭書麟等嗣後奏報長水
務宜將新長尺寸明白具奏不得仍前陋習致多
牽混至南河各工業經搶護平穩其東河水勢本
日亦據梁肯堂奏隨長隨消工程穩固但目下甫
届伏汛為日方長所有南河東河各督撫等均當
倍加敬畏督率在工員弁上下巡查隨時防護不
可稍涉大意也將此各諭令知之欽此遵
旨寄信前来仰見我
皇上訓示周詳無微不至臣等跪讀之下愧悔難名
伏查徐州府誌樁在北門外緊靠石岸設立原
係河邊水淺之處去歲十二月月底據報中泓
水深二丈其誌樁處底水無存本年桃汛陸續
加長除隨時消落外截至閏五月初十日止誌

椿存長水五尺八寸自閏五月十一日至二十
二日臣等前次
奏報之時連桃汛之水長至一丈三尺六寸是閏
五月中旬實止長水七尺八寸臣等原奏自應
將桃汛之水作為底水再將現長之水分晰聲
明乃相沿陋習籠統接算似係一丈數尺全係
新長之水實屬措詞失當以致上煩
聖心臣等愧悔交集惶悚難安嗣後臣等
奏報水勢情形惟有凜遵
聖訓將新長尺寸明白聲敘不致再有牽混而於修
防事宜倍加敬畏不敢稍存大意以期仰副
聖主訓誨殷殷至意所有臣等奉到
諭旨理合據實覆
奏伏乞
皇上睿鑒謹
奏

知道了

乾隆五十四年六月廿三日

六一七

奏

江蘇廵撫臣閔鶚元謹

奏爲恭摺奏

聞事竊查本年伏汛以来黄水異漲在在報險兹於

本月十二日接據徐州府睢寧縣禀報該縣黄

河南岸之周家樓地方大溜直趨水過堤頂正

在竭力搶護間於初九日夜風狂雨驟致將堤

身刷開數十丈田廬均有淹損現在竭力設法

救濟等情除飛飭江寧藩司康基田淮徐道師

彦公督同府縣將一應撫卹事宜趕緊妥辦外

臣即於十三日自蘇起程馳赴該處督同辦理

並查勘下游漫淹情形再行恭摺具

奏所有臣起程赴睢日期理合恭摺具

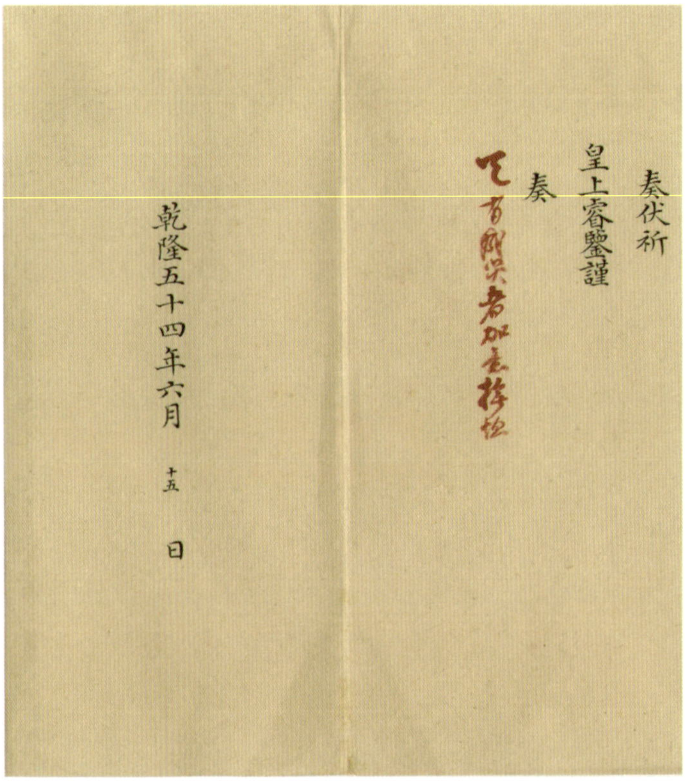

奏伏祈

皇上睿鑒謹

奏

已有諭吳者加意撈拯

乾隆五十四年六月　十五　日

六一八

奏

臣李奉翰臣梁肯堂跪

奏為欽奉
上諭敬謹遵辦恭摺覆
奏事竊臣等於六月十六日承准大學士伯和珅
字寄內開乾隆五十四年六月初十日奉
上諭李奉翰等奏伏前河水陡長各工搶護平穩情
形一摺内稱蘭儀睢寧等處南北兩岸長水五六
尺至八九尺不等堤工均有坐蟄陷之處各廳
營汛搶辦穩固其銅瓦廂工長水九尺連底水共
二丈二尺大溜淘湧埽外水深三丈二三尺至四
丈三四尺不等埽工隨鑲隨蟄勢甚險要李奉翰
等督同該道及備弁兵夫等分投上緊搶鑲現在

一律完固水勢漸亦消落等語以手加額欣慰覽之此次河水陡長堤工多有蟄陷該督等督率河員弁兵立時搶護埽壩得以穩固無虞此皆仰賴
神貺默加護佑化險為平自應虔誠致祭以答靈庥
着將内府藏香一分發交該督等親赴
河神廟敬謹拈香其南河各工前經書麟蘭第錫奏
黄河水勢暴漲業經搶護平穩該處
河神廟亦當虔誠致祭着將藏香一分一併發交該督等即親詣拈香以酬嘉佑目下甫屆伏汛為日方長着傳諭該督撫均當倍加敬慎督率在工員弁上下巡查隨時防護不可因現在平穩稍涉大意俟秋汛一過安瀾有慶所有南河東河各督撫及在工員弁均當給予議叙以示優奬也將此先行各傳諭知之欽此遵
旨寄信前來并藏香一分臣等祗領跪讀仰見我
皇上念切河防寅承
麻佑報祀及時倍深敬凛臣等伏查本年未交伏汛即值河水陡長各工俱得搶鑲平穩其銅瓦

廂工大溜滷湧更得搶護無虞迨至六月初旬
水勢又復驟長勢甚險要臣等將銅工酌放水
戧之後内塘澄淤至一丈餘尺洵為天然放淤
實有
神助今臣等伏計
聖諭辦香飭祭之時正銅工化險為平之際此皆
宸衷孚感
靈貺旋昭誠如
慈訓自應虔誠致祭以答
神庥臣等遵即親詣
河神各祠宇敬謹拈香致祭至臣等職司水土一
切惟仰遵
睿謨指示勉力宣防尚恐奉行未當乃伏汛甫過即
蒙
獎諭先加感激
鴻慈彌深惶悚臣等惟有率同在工文武共相鼓勵
益加謹慎竭力修防務期工固瀾安以仰副我
聖主訓勉諄諄之至意所有臣等敬遵

諭旨緣由暨感激微忱理合會同恭摺由驛具

奏伏乞

皇上睿鑒謹

奏

是慎而又慎可也

乾隆五十四年六月　十八　日

再魏家莊各段埽壩蟄塌現在搶護其第十七
段係挑溜大埽尤為通埽關鍵必須慎重防護
十一日晚溜水湧激蟄陷藩司康基田帶同署
睢南營守備卓采及兵役人等上埽鑲壓搶護
忽大溜直射將埽衝翻倒塌時該司與守備卓
采及兵役人等俱站立埽邊隨埽翻入水底康
基田為埽所壓因大溜迴旋埽復衝起該司亦
隨埽上浮旋經多人撈救得生現在照舊辦事
其餘兵役人等俱各跑搶上岸惟守備卓采兵
丁胡錦二人及該司家丁李全任瑞隨埽飄淌
當將李全任瑞隨時撈起并用小船赶救於數
里外將兵丁胡錦救獲其署守備卓采赶救無
獲復多差水手前往下游打撈尚無蹤跡合併
陳明謹
奏

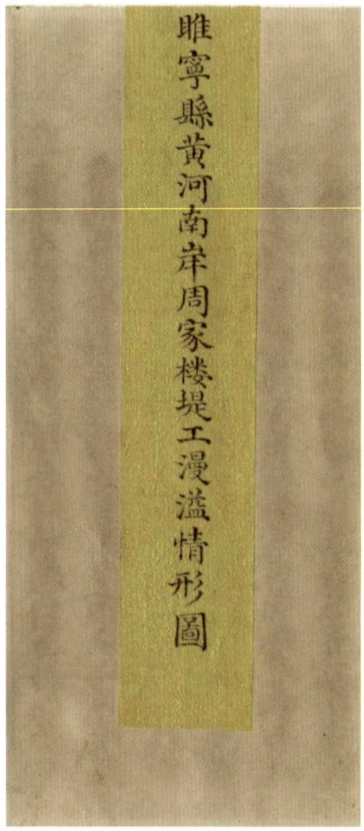

睢寧縣黃河南岸周家樓堤工漫溢情形圖

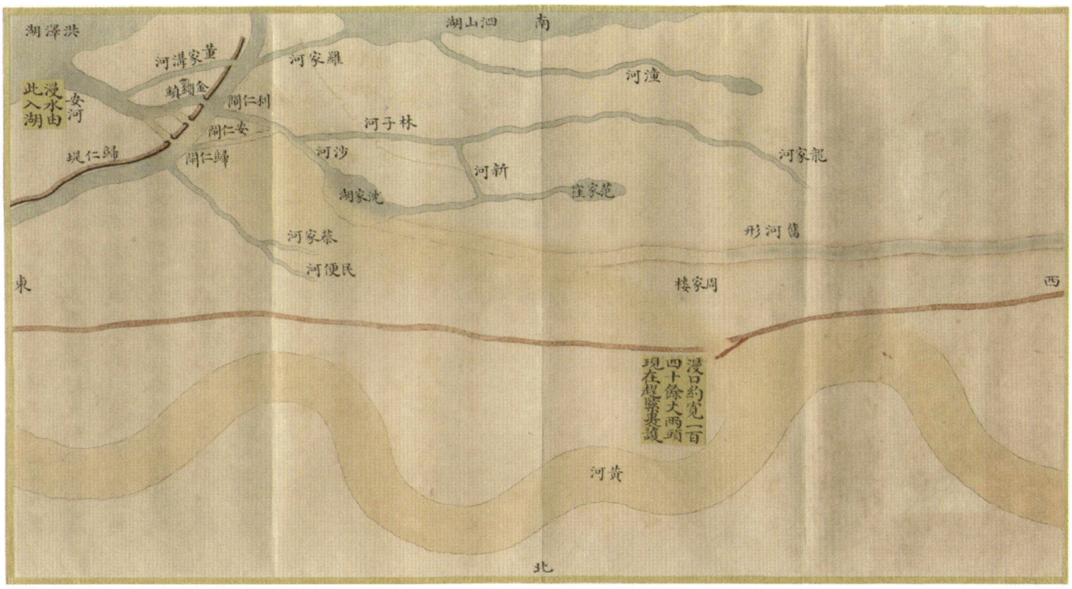
南
北
東
西
洪澤湖
泗山湖
董家溝河
羅家河
潼河
漫水由此入湖
安河
金鷄鎮
利仁閘
安仁閘
歸仁閘
歸仁堤
林子河
沙河
新河
沈家湖
范家洼
龍家河
蔡家河
民便河
舊河形
周家樓
漫口約寬一百四十餘丈兩頭現在趕緊裹護
黃河

六一九

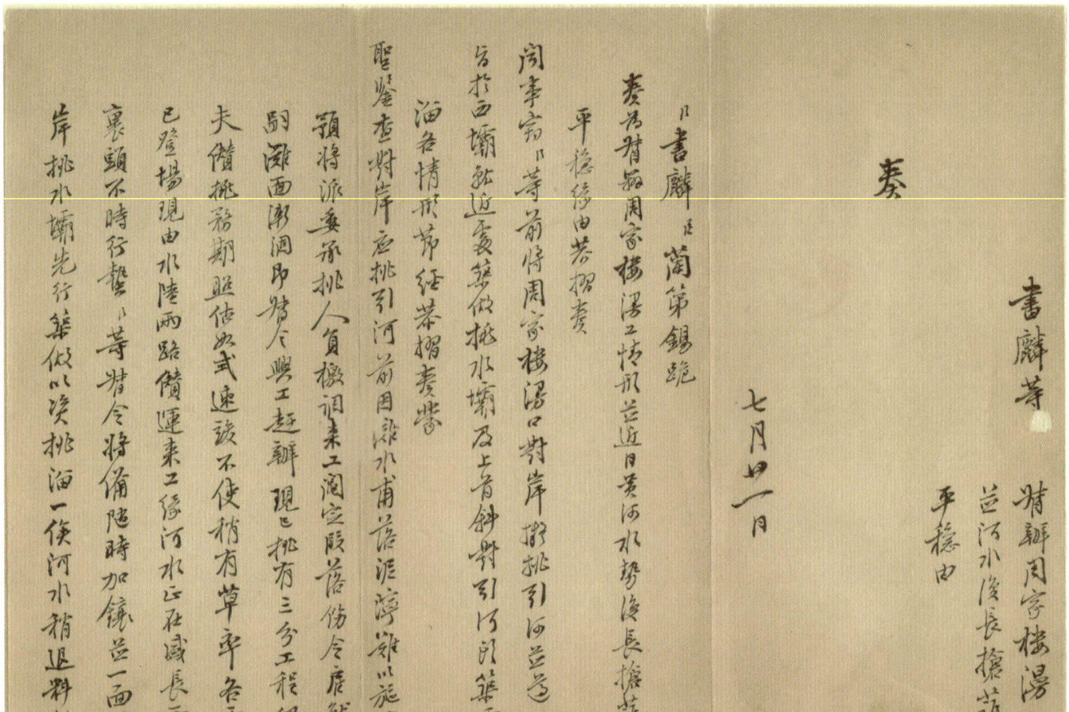
奏

書麟等

籌辦周家樓漫工

并河水復長搶護

平穩由

七月廿一日

臣書麟、臣蘭第錫跪

奏爲籌辦周家樓漫工情形並近日黄河水勢復長搶護各工

平穩緣由恭摺奏

聞事竊臣等前將周家樓漫口對岸挑挖引河並進

占於西壩就近處築做挑水壩及上首斜對引河口築壩挑

溜各情形節經恭摺奏聞

聖鑒查對岸應挑引河前因漲水甫落泥濘難以施功臣等

飭將派委分挑人員檄調來工閱定段落飭令廳縣人夫

驟漲西漸涸即督令興工趕辦現已挑有三分工程仍在加

夫儹挑務期照依如式速竣不使稍有草率各處料

已登場現由水陸兩路儹運來工緣河水正在盛長兩壩

裏頭不時行蟄臣等督令將備隨時加鑲並一面將西

岸挑水壩先行築做以冀挑溜一俟河水稍退料物集

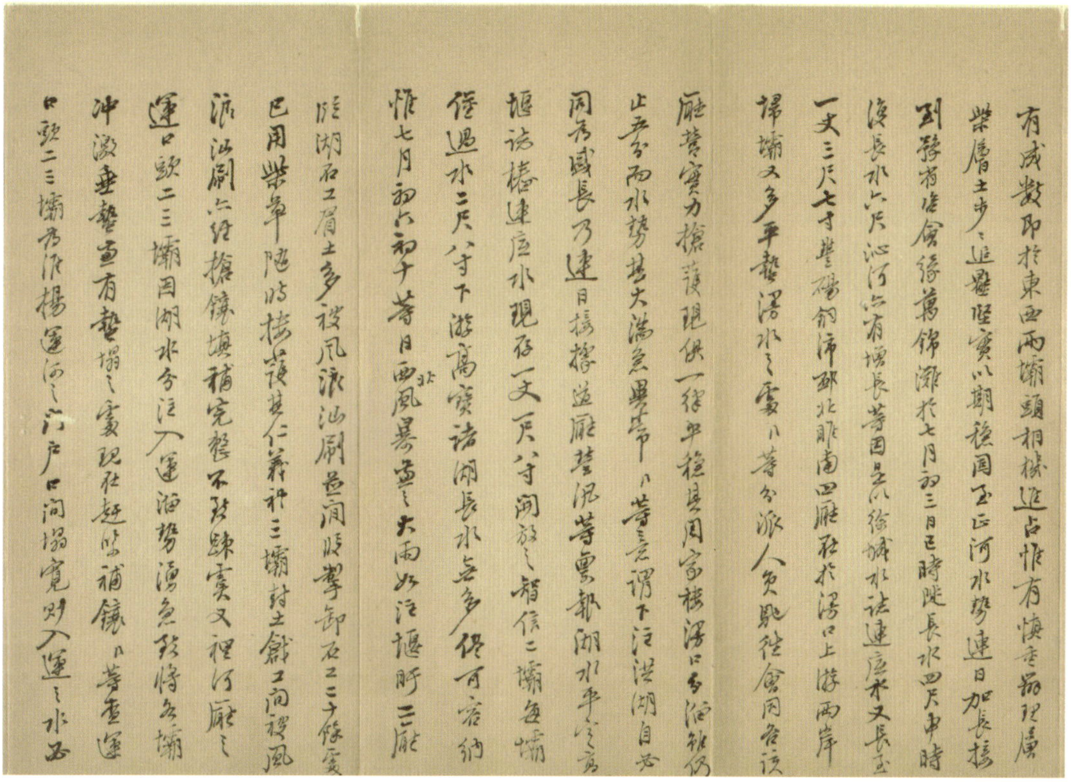
有成數即於東西兩壩頭相機進占惟有慎重籌理廣
柴廂土步步進壓堅實以期穩固至臣河水勢連日加長據
報豫省儀會徐萬錦滙於七月初三日巳時陡長水四尺申時
復長水六尺沁河亦有增長等因是以徐城水誌連底水又長至
一丈三尺七寸豐碭銅沛邳北睢南四廳現於湯口上游兩岸
埽壩又多平墊溜水之處臣等分派人員馳往會同各該
廳營實力搶護現俱一律平穩其周家樓湯口至海報仍
止存兩水勢甚大湍急異常臣等竊謂下注洪湖自然
同為盛長乃連日據稟並廳營泥等稟報湖水平漫高
堰誌樁連底水現存一丈一尺八寸閘放之智信二壩每壩
僅過水二尺八寸下游高寶諸湖長水無多俾可容納
惟七月初六初十等日西北風暴雨大雨如注堰盱三廳
沿湖石工層土多被風浪汕刷並間段掣卸石工二十餘處
已用柴草隨時搶護其仁義禮三壩封土戧工間被風
浪汕刷亦經搶鑲填補完整不致踈虞又裡河廳之
運口迤二三壩因湖水分注入運溜勢湍急致將各壩
沖激垂墊並有墊塌之處現在趕緊補鑲臣等查運
口迤二三壩為淮揚運河之門户口門塌寬則入運之水必

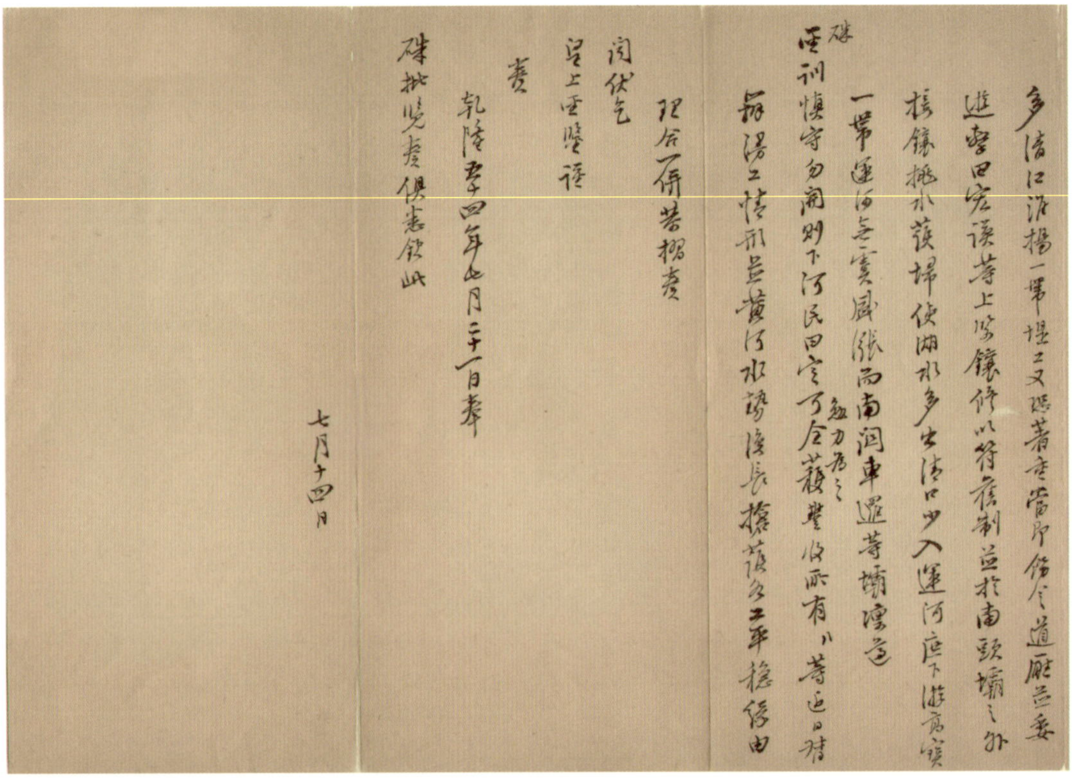

多清口沿揚一帶堤工又既著有常即飭令道廳並委
遊擊田宏謨等上緊鑲修以符舊制並於南頭壩之外
接鑲挑水護埽使湖水多出清口少入運河庶下游高寶
一帶運河無虞盛漲而南關車邏等壩[illegible]遵
碍
聖訓慎守勿開則下河民田定可全獲豐收所有臣等近日趕
勉力為之
辦湯工情形並黃河水勢漲長搶護各工平穩緣由
理合一併恭摺奏
聞伏乞
皇上聖鑒謹
奏
乾隆四十四年七月二十一日奉
硃批覽奏俱悉欽此
七月十四日

六二〇

湧工進占情形

書麟
蘭第錫

奏

八月初八日

臣書麟臣蘭第錫跪

奏爲黃河水勢漸消漫工進占情形恭摺奏

聞事竊臣等前將籌堵漫工並黃河水勢復長情形

於七月二十三日繕摺具

奏後嗣據上游銅沛廳營稟報徐城水誌連日陸

續消落三尺餘寸並據豐碭廳營稟報前此漫

灘之水由碭汎汪家集竇家寨民堰歸入毛城

鋪石壩下注洪濉二河以達五湖分洩甚暢正

河水勢日消兩岸工程均屬平穩睢寧之周家

樓漫口溜勢亦漸平緩臣等前遵

聖明指示先于西岸築做挑水壩今做成三十餘丈

察看口門溜勢業已挑過西壩頭節届秋分水

硃

力漸弱料物現已集有成數正壩應行進占加
鑲臣等於七月二十八日吉期督率將倫等將
兩壩一齊進占慎重追壓共已做成八丈外鑲
邊埽內澆土戧極為穩固仰賴
皇上洪福連日天氣晴朗物料人夫雲集足敷應手
（于幾月中可合龍速奏來）
辦理可望日起有功剋期蕆事對岸引河已挑
有四分工程核計合龍以前自可挑竣一俟兩
壩口門收窄水勢抬高即行開放分溜壩工不
致著重合龍更易為力至漫水滙注洪湖仰蒙
聖恩垂念下河民生時廑
宵旰今自白露以後湖水有消無長山盱五壩內除
開放智信二壩洩水無多下游歸江路暢運河

硃

未見盛長不惟仁義禮三壩可以保守即高寶
一帶東堤南關車邏等壩亦毋（好）庸再議啟放下
河各州縣早中二稻均已次第登場晚稻將次
成熟指日並可全行刈穫收成頗為豐稔民情
同深感慶實可仰慰
聖懷所有黃河水勢漸消漫工進占並下河豐收各

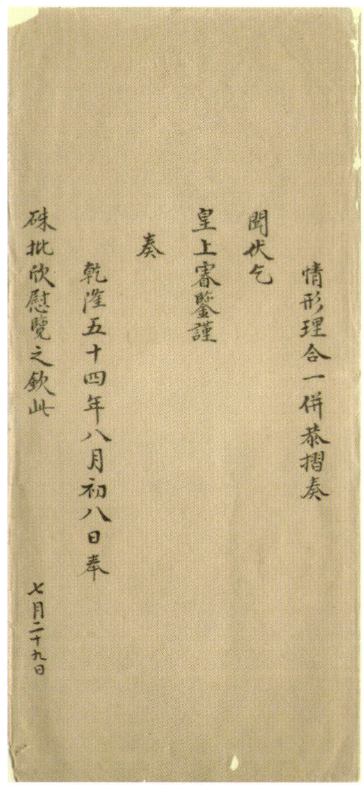

情形理合一併恭摺奏
聞伏乞
皇上睿鑒謹
奏
乾隆五十四年八月初八日奉
硃批欣慰覽之欽此
七月二十九日

臣書麟臣蘭第錫跪

奏再查本年回空漕船前于七月十六日頭幫入

江南黃林莊境當經臣等繕摺

奏報在案今據沿河廳營州縣并委催各員稟報

截至二十一日已入境六百七十六隻催令儧

行頭幫已于二十六日渡黃南下邳宿淮楊運

河水勢俱屬充裕遄行無阻合並奏

聞謹

奏

同日奉

硃批覽欽此

六二一

奏

臣李奉翰臣梁肯堂跪

奏為欽奉

硃批遵照繪圖具奏并陳明秋分後水勢工程情形

仰祈

聖鑒事竊臣等於八月初二日會奏黑堽一帶工程

搶護平穩一摺於八月十七日奉到

硃批以手加額欣慰覽之欽此又於摺内做成新埽

十五段句旁欽奉

硃批何不具一圖來欽此臣等跪讀之下仰見我

皇上廑念要工無微不至遵查該處新埽十五段自

做成之後加鑲高厚復經兩次長水足資抵禦

挑溜護堤甚為得力謹遵

旨繪圖貼說恭呈
御覽至該處應行加培舊月堤並銅瓦廂工應修月
堤前經臣等遵
旨勘估繪圖具奏令臣等恭繹黑堽月堤圖內欽奉
硃批此積水能設法消疏更好欽此遵查該處地勢
低窪伏秋大雨之後不無積水深有尺許至二
三尺臣等查該處臨河大堤黃河水面高於内
塘且係壩臺未能宣放惟後面舊月堤身現因
卑矮估計加培若於秋汛後加築之時測量該
舊堤内外地勢高下於最矮之處乘與工築辦
之際酌挑小渠導引宣放洩水之後即行填築
堅固照估妥辦庶幾積水可期消涸現飭該道
廳遵照辦理以仰副
皇上慎重河防之意又銅瓦廂工圖内前放水戧之
處欽奉
硃批可掛淤乎若能淤滿更好欽此伏查該工臨河
塘内前已普面澄淤惟西北一角尚存清水三
四尺不等自秋分以來黃河水長漾入塘内復

又增淤將來漸次加淤定臻滿足所有欽奉
垂詢緣由理合恭摺覆
奏再查黄河水勢據陝州呈報萬錦灘於八月初
九日長水二尺五寸十五日又長水三尺沁河
亦長水三尺隨據南北兩岸各廳等陸續報長
水二三尺至四尺二三寸臣等督率各道等往
來工次加謹防護仰賴
皇上洪福每當搶護工程之時天氣晴朗並無風雨
兵夫料物雲集得以攢辦搶修平穩其睢州下
汛七堡一帶舊有土壩久經淤閉近因對過長
有灘嘴逼溜南趨致將存灘二百餘丈兩晝夜
全行刷去並連塌土壩河勢坐灣溜近堤根臣
等督飭道廳都司備弁等將所存壩基趕緊裹
護搶鑲埽工八段並於壩下鑲做護崖埽工九
段以資保衛又虞城縣迤下地勢低窪漫灘之
水較大飭令候補道蔣果同歸德府知府懷誠
率領該廳縣等分投防護或加培子堰或築做
月壩竭力保守俱獲平穩自八月十八日以後

各廳水勢陸續報消二尺七八寸至三尺八九
寸灘水亦漸消涸時已寒露往後水力日綿自
必有消無長各工益臻鞏固無虞實足以上慰
聖懷惟相距霜降之期尚早臣等仍督同在工文武
各員悉照派定要工段落分投實力巡防益加
敬慎小心不敢稍有懈忽務期東豫兩省共慶
安瀾仰副
聖主訓勉諄諄至意所有水落工穩情形謹會摺陳
奏伏乞
皇上睿鑒謹
奏

覽奏俱悉

乾隆五十四年八月　二十五　日

六二二

奏

河東河道總督臣李秦翰跪

奏為南糧回空幫船全出東境恭摺奏

聞事竊查本年回空漕船於九月二十四日全過濟寧之時漕臣管幹珍即督押南行運河道沈啓震跟幫催儹一路妥為料理今查江西撫州所尾幫船隻已於十月初二日全出東境黃林莊南下行走甚速至豫省回空幫船向在臨清一帶修艌前經臣委員在彼守催隨即陸續開行今已全出東境均歸河南水次受兑臣咨會河南撫臣梁肯堂督飭糧道隨兑隨即開行儹過臨清以北守凍其山東糧船凡在臨清閘內受兑各幫山東撫臣長麟會商飭令有漕各州縣

將漕糧隨徵隨運受兌後即令開行務期早過
臨清守凍以便開凍後即可迅速赴通來春
聖駕經臨運河東豫漕船并南糧幫船均可不致阻
礙所有南糧回空幫船全數儧出東境日期理
合恭摺具
奏伏乞
皇上睿鑒謹
奏

知道了

乾隆五十四年十月　初三　日

六二三

書麟等 查勘毛城鋪外灘民堰情形

奏 交○ 圖一不交

十一月初一日

臣書麟臣蘭第錫跪

奏爲查勘黄河上游毛城鋪外灘民堰情形酌籌

辦理緣由恭摺具奏仰祈

聖鑒事竊照本年伏秋大汛黄河水勢叠漲上游毛城鋪西首外灘河勢分爲兩股一股由張王莊之北新淤河道一股由張王莊之南舊河行走因漫灘水大將南岸外灘民堰漫缺三處水勢匯注毛城鋪滚壩塌損西裹頭過水較寬其時壩上水深至一丈七尺餘寸下游減水洪河西岸民堰亦有漫缺三處以致碭山永城等縣間被淹浸當查外灘民堰三處内周家莊汪家集兩處旋即斷流掛淤惟孫寶家寨一處過水匯

歸下注經臣等於八月内
奏明漫缺民堰内係民修之工如各處全行掛淤
只須補還原堤民力易辦即當責令照舊修復
倘刷成溝槽必須用料堵築如民力不繼應須
官爲經理再行酌核籌辦等因奏蒙
聖鑒在案茲臣等於堵築睢南周工合龍後即赴上
游各廳查勘伏秋大汛搶護工程同至毛城鋪
上下並外灘一帶周歷查勘張王莊以北新湖
之河現寬一百八十餘丈水深二丈二三尺已
成大河較舊河直捷暢順自應聽其行走其張
王莊以南舊河轉覺灣曲現在水面寬七十餘
丈水深四五尺至丈餘不等稍分溜勢難歸
併新河而毛城鋪滚壩現仍過水四尺餘寸今
外灘漫缺之竇家寨民堰一股業已刷成溝槽
更恐一時未能斷流若不即爲堵截則來年大
汛水發必又普漫沖刷於毛城鋪宣洩機宜漫
無節制臣等率同道將再三相度必得於舊河
頭分流處用料堵截俾令滙歸新河即竇家寨

溝槽亦可斷流掛淤補還民堰較易為力除毛
城舖該場西壩頭條磚石工程應行補砌唐家
灣倒勾引渠雖有淤墊亦應疏浚均請俟斷流
後於明春勘估
奏辦外其毛城舖外灘以及洪河各民堰應于春
融農隙時責令民修以復其舊惟堵築張王莊
以西之舊河頭所需料物夫工等項民力不繼
必須官為辦理應請照依乾隆四十年堵築該
處丁家集民堰之例歸於豐碭廳來年庫貯核
銷毋庸另動錢糧臣等現在督率道將廳營分
別緩急確估趕辦仍不時往來督察催儹以期
妥速完竣所有臣等查勘毛城舖外灘民堰過
水情形暨籌辦緣由理合繕摺具
奏並繪圖貼說恭呈
御覽伏乞
皇上睿鑒訓示謹
奏　乾隆五十四年十一月初一日奉
硃批是如所議行欽此

六二四

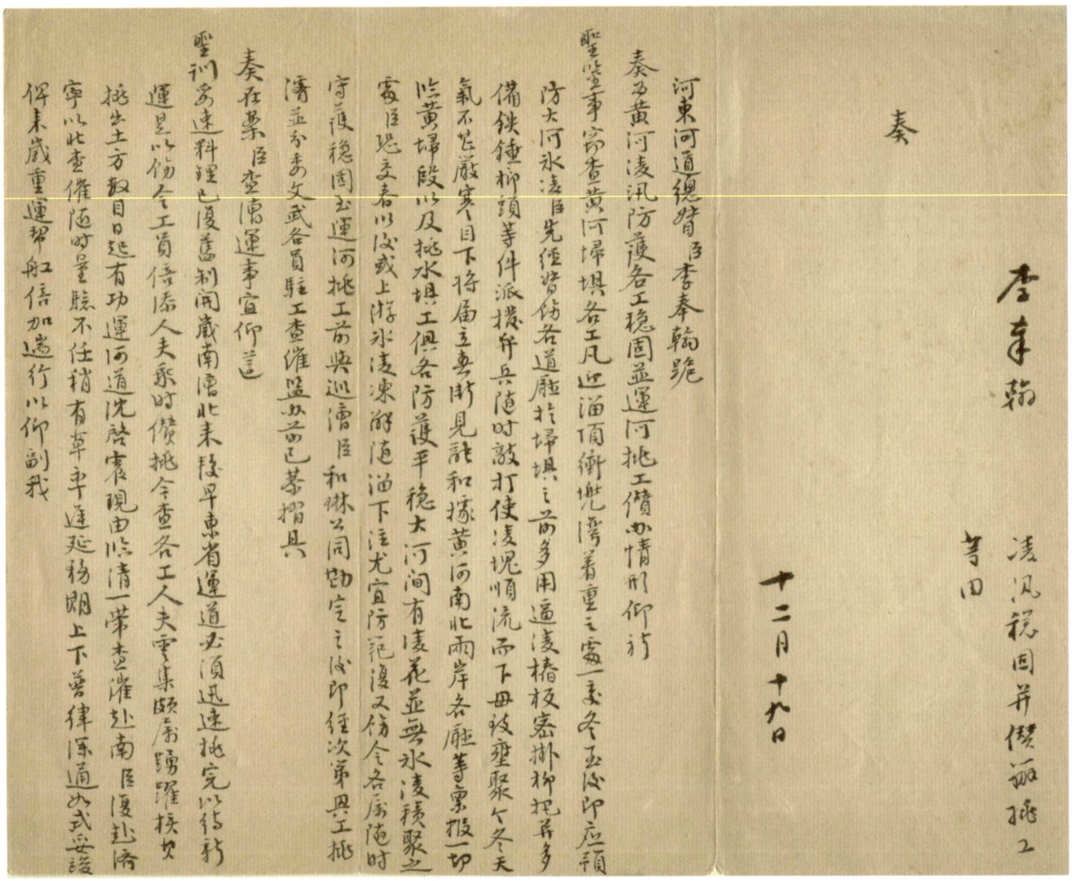

奏

李奉翰

凌汛穩固并儧辦挑工

等由

十二月十九日

河東河道總督臣李奉翰跪

奏爲黄河凌汛防護各工穩固並運河挑工儧辦情形仰祈

聖鑒事。竊查黄河埽壩各工凡近溜頂衝迎溜著重之處，一交冬至後即應預

防大河冰凌。臣先經督飭各道廳於埽壩之前多用逼凌椿板密排柳把，并多

備鐵錘柳頭等件，派撥弁兵隨時敲打，使凌塊順流而下，毋致壅聚。今冬天

氣不甚嚴寒，目下將届立春，時見融和。據黄河南北兩岸各廳等稟報，一切

臨黄埽段以及挑水壩工俱各防護平穩，大河間有凌花，並無冰凌積聚之

處。臣思交春以後，或上游冰凌凍解，隨溜下注，尤宜防範，復又飭令各廳隨時

守護穩固。至運河挑工，前與巡漕臣和琳公同勘定之後，即經次第興工挑

濬，並分委文武各員駐工查催，業將辦理緣由恭摺具

奏在案。臣查漕運事宜，仰蒙

聖訓，务速料理，已復舊制。聞歲南漕北來較早，東省運道必須迅速挑完，以待新

運。是以飭令工員倍添人夫，剋日儧挑。今查各工人夫雲集，頗屬踴躍，核其

挑出土方數目，日起有功。運河道沈啓震現由臨清一帶查催赴南，臣復赴濟

寧以北查催，隨時量驗，不任稍有草率遲延，務期上下一律深通，如式妥協，

俾來歲重運幫船倍加遄行，以仰副我

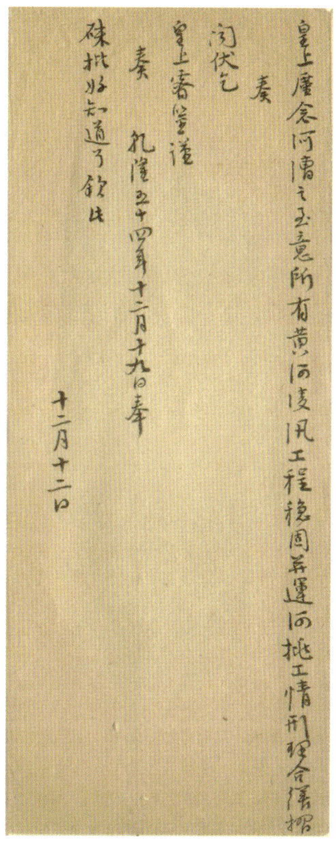

皇上廑念河漕之至意所有黄河凌汛工程穩固并運河挑工情形理合繕摺

奏

聞伏乞

皇上睿鑒謹

奏　乾隆五十四年十二月十九日奉

硃批好知道了欽此

十二月十二日

六二五

書麟蘭第錫 另將新舊河形勢繪圖貼説由

奏 圖一

十一月十六日

臣書麟臣蘭第錫跪

奏為遵

旨詳細繪圖恭呈

御覽事竊臣等於十一月初七日承准大學士公阿

桂大學士伯和珅字寄内開乾隆五十四年十

一月初一日奉

上諭書麟等奏查勘黄河上游毛城鋪外灘民堰情

形分别酌辦一摺祇可如此辦理已如所議行矣

至閲圖内既稱舊河新河應有兩河口今祇一河

口孰為新孰為舊朕猜不來所繪河形一條俱係

黄河正身接連而下乃迤西則註稱黄河而迤東

則又填寫新河黄河舊身究在何處並未繪明若

張王莊以南即屬舊河而所繪形勢窄小且斜向
東南直趨毛城舖一帶閱之又不似舊河身新河
口又在何處圖中所繪甚不明晰難於指示已用
硃筆標出仍令軍機大臣貼紅簽詳問著傳諭書
麟蘭第錫不應糊塗至此著即將圖内黃河正身
及新河舊河形勢另行詳細展寬繪圖呈覽將此
傳諭知之欽此遵
旨寄信前來臣等跪讀之下仰見
聖明睿照無遺臣等不勝惶悚之至伏查毛城舖外
灘黃河本由張王莊迤南行走今年秋汛内因
河水盛漲將張王莊迤南之竇家寨等處民堰
刷開過水其張王莊迤北則冲出大河一道直
接正河大溜全由新河行走舊河旋即淤墊惟
存竇家寨一帶溝槽過水張王莊迤南本有舊
河形一道誠如
聖諭舊河新河原有兩河口乃臣等所繪進
呈圖内僅就現在新河形勢繪畫其舊河形並未
繪出以致新舊河勢不分工煩

聖主垂詢臣等愚昧糊塗至於此極愧悔恐懼實屬
朱批 爾等無以自解不過朕多費心耳
無以自解謹遵
旨將黄河正身及新河舊河形勢另行詳細展寬繪
圖貼説恭呈
御覽并將欽奉
朱筆標出原圖一併恭
繳至舊河分流處現在用料堵截將次完工合併
聲明爲此恭摺由驛覆
奏伏乞
皇上恩鑒謹
奏
乾隆五十四年十一月十六日奉
朱批覽欽此
十一月初八日

六二六

奏

李奉翰

凌汛穩固并催儧挑工

等由

十二月十九日

河東河道總督臣李奉翰跪

奏爲黃河凌汛防護各工穩固並運河挑工催儧情形仰祈

聖鑒事。竊查黃河埽壩各工凡迎溜頂衝、兜灣着重之處，一交冬至，即應預防大河氷凌。臣先經督飭各道廳於埽壩之前多用逼凌椿、枝密掛柳把，并多備鐵錘、柳頭等件，派撥弁兵隨時敲打，使凌塊順流而下，毋致壅聚。今冬天氣不甚嚴寒，目下將届立春，時見融和。據黃河南北兩岸各廳等禀報，一切臨黃埽段以及攔水壩工俱各防護平穩，大河間有凌花，並無氷凌積聚之處。臣思交春以後，或上游氷凌凍解，隨溜下注，尤宜防範，復又飭令各屬隨時守護穩固。至運河挑工，前與巡漕臣和琳公同勘定之後，即經次第興工挑濬，並分委文武各員駐工查催，并於前已恭摺具

奏在案。臣查漕運事宜，仰蒙

聖訓，務速料理，已復舊制。聞歲南漕北來較早，東省運道必須迅速挑完，以待新運。是以飭令工員倍添人夫，乘時儧挑。今查各工人夫雲集，頗屬踴躍。核其挑出土方數目，日起有功，運河道沈啓震現由臨清一帶查催赴南，臣復赴濟寧以北查催，隨時量驗，不任稍有草率遲延，務期上下普律深通，如式妥竣，俾來歲重運幫船倍加遄行，以仰副我

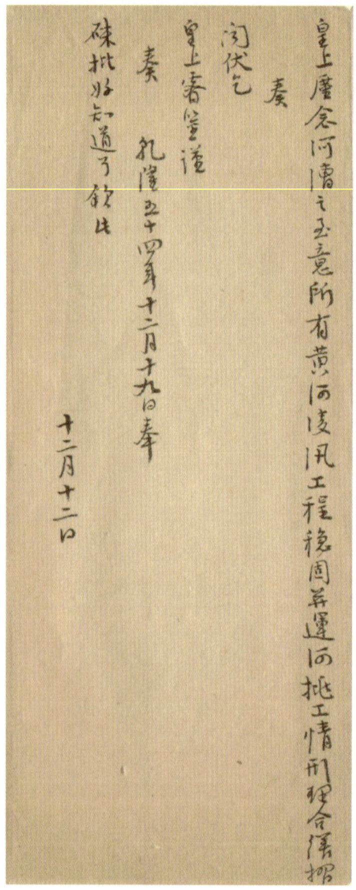

皇上廑念河漕之至意所有黄河凌汛工程穩固並運河挑工情形理合繕摺

奏

聞伏乞

皇上睿鑒謹

奏　乾隆五十四年十二月十九日奉

硃批知道了欽此

十二月十二日

六二七

奏

河東河道總督臣李奉翰跪

奏為循例奏

聞仰祈

聖鑒事竊臣案查乾隆五十一年四月内經工部議

奏豫省黄河搶修工程一項嗣後每年大汛後

將該年新添險工若干丈及化險為平若干段

若干丈據實專摺奏明並造具圖册報部以憑

查對工段丈尺核銷等因奉

旨依議欽此欽遵歷年遵辦在案兹五十四年大汛

已過臣行據該道廳等將做過工程與上年所

修段落分晰造册呈送前來臣查乾隆五十三

年分豫省黄河南北兩岸搶修新舊埽工防風

長九千四百五十丈又另案搶辦埽工長一百
九十四丈共長九千六百四十四丈今五十四
年分各舊工内化險爲平停止修理者計長二
千六百八十三丈七尺又銅瓦廂并黑堽一帶
舊十四堡另案估辦工長三百六十五丈八尺
外核計搶修案内實修上年舊工六千五百九
十四丈五尺又因水長出槽漫至堤根鑲做防
風並因溜勢上提下坐接長埽段以及添做挑
水壩工各埽共計搶修工長三千四百八十一
丈七尺臣於大汛時往來各工隨時查勘皆係
實應搶修之工復於霜降後又親赴各處并委
員逐細查量該道廳所報工段並無浮多除飭
造具細册繪圖貼説送部查對外所有本年搶
修工段丈尺理合會同河南撫臣梁肯堂循例
恭摺具
奏伏乞
皇上睿鑒謹
奏

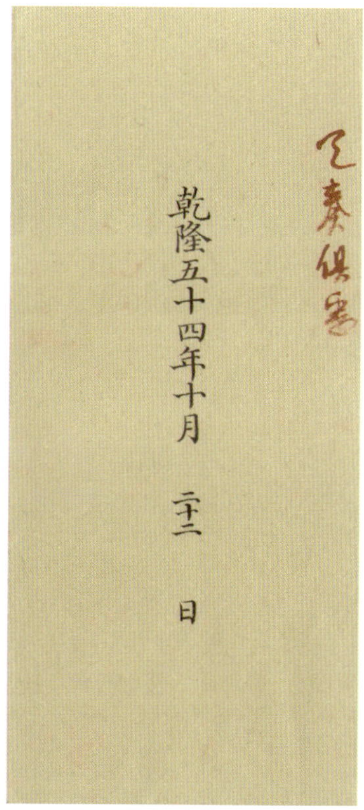

已奏俱悉

乾隆五十四年十月二十二日

奏

蘭第錫

請裁兩河巡船撤兵歸伍由

正月二十日

交

江南河道總督臣蘭第錫跪

奏爲請裁黃運兩河巡船撤兵歸伍以收實效事

竊查江南黃河自清黃交滙處至河南虞城縣交界運河自清江浦至黃林莊以及夏鎮珠梅閘等處於雍正年間設立巡船二十二隻每船派兵五名由河標四營額兵内抽調分汛撑駕往來游巡專爲查緝奸匪而設其船照三年小修五年大修八年拆造之例每年查明應修數目同浚柳各船彙摺恭

奏動用河庫錢糧辦理臣查浚柳各船從前原係浚河運柳後經改爲裝運蕩柴之用誠屬有益惟巡船一項長僅二丈五尺至二丈八尺

寛僅五六尺，實小輕浮，既不能衝風破浪，又不能多容兵役，實難責令兵丁五人撐擺駛緝匪。且查黃河溜勢迅疾，並無行旅船隻往來，惟有糧運大船，名爲西河牛，並載運煤炭之牙圓船，各船艙廣既大，水手又多，搭帮行走，從無失事之處，實無藉于巡船之遊緝。至運河內官民船隻雖屬衆多，但運河兩岸現設汛墩鋪多座，上下相隔不過七八里及十里不等，每鋪派兵五名，常川住宿，星羅棋布，瞭望巡察。如果晝夜勤慎，一有船隻被盜，儘可往來策應，較之巡船兵丁遠近不能兼顧者，似更得力。臣調任南河將及一年，留心体察，隨處圖驗，並檢查檔案。自設立巡船以來，未聞有巡兵獲匪之事。是大修小修既屬徒費錢糧，而額船二十二隻需兵一百一十名輪流抽派，動經數月即不能專心差操，亦與營伍無益。臣愚昧之見，與其因循相沿，留此有名無實之巡船，不若核實停止，撤回兵丁，各歸營伍，不使

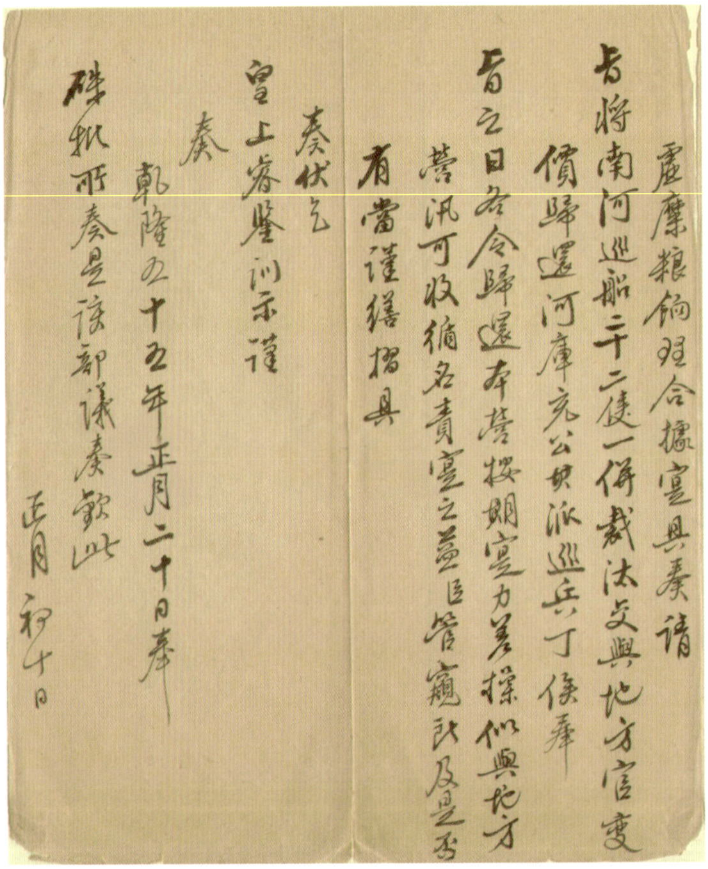

覆庫糧餉理合據實具奏請
旨將南河巡船二十二隻一併裁汰交與地方官變
價歸還河庫充公其派巡兵丁係奉
旨之日各令歸還本營按照實力差操似與地方
營汛可收循名責實之益臣管窺所及是否
有當謹繕摺具
奏伏乞
皇上睿鑒訓示謹
奏
乾隆五十五年正月二十日奉
硃批所奏是該部議奏欽此
正月初十日

六二九

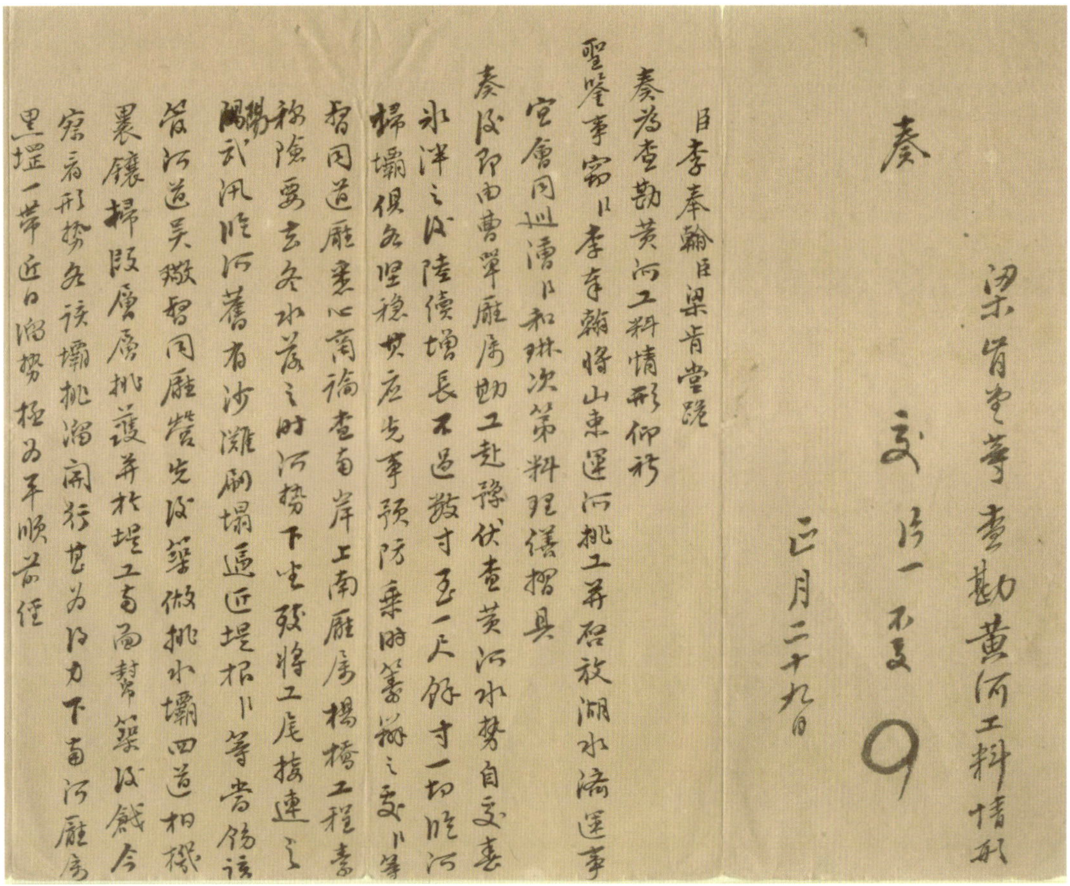

奏

梁肯堂等查勘黃河工料情形

覽

另一不足

正月二十九日

9

臣李奉翰、臣梁肯堂跪

奏為查勘黃河工料情形，仰祈

聖鑒事。竊臣李奉翰將山東運河挑工并啟放湖水濟運事

宜會同巡漕臣和琳次第料理，繕摺具

奏後，即由曹單廳屬勘工赴豫。伏查黃河水勢自交春

冰泮之後，陸續增長不過數寸至一尺餘寸，一切臨河

埽壩俱各堅穩，然應先事預防，乘時籌辦之處，臣等

督同道廳悉心商榷，查南岸上南廳屬楊橋工程，素

稱險要，去冬水落之時，河勢下坐，致將工尾接連之

陽武汛臨河舊有沙灘刷塌，逼近堤根，臣等當飭該

管河道吳璥督同廳營，先後築做挑水壩四道，相機

裏鑲埽段，層層挑護，并於堤工旁面幫築後戧，今

察看形勢，各該壩挑溜開行，甚為得力，下首河廳屬

黑堽一帶近日溜勢極為平順，前經

奏明加培月堤引渠，皆查逐處地方各員分段興辦，理在人
夫雲集，層土層硪，照估趕辦，并又添派委員上緊監催，竭
於妥速完竣。蘭儀、睢寧、商邱一帶新堤土性沙鬆，此皆
低窪之區，連年以來雖曾隨時增培，而臨河一面屢經盛漲
漫灘，逐漸淤高，堤頂益形卑矮，而堤後地勢本屬窪下
危險，堤身壁立單薄堪虞。今查蘭陽新舊堤工受援
要所正當蔡家樓新生埽工之後，該處堤工緊要，以及十
四堡二壩迤東均應幫築土戧，並應於蔡家樓上首估添
挑水壩長四十九丈，連儀封二三堡應行加幫堤工并六
堡估築挑水壩長五十丈，共估土方銀一萬一千三百
二十餘兩。睢州上下汛應估加幫堤壩并高家寨頭堡
下應築挑壩長五十丈，睢下汛十三堡大壩之東應添挑壩
長三十七丈，共估土方銀二萬五千五百六十三兩零。下游商邱
汛并虞城上下二汛地形更為卑窪，上年秋汛水長之時，出
槽漫灘尤為廣遠，當將必須加幫堤壩段落逐一存記，並將應
辦緣由會摺奏聞
聖鑒在案。今臣等復又細加勘核，撙節確估，共實需土方銀五
萬二千九百三十五兩零。目下正當春融農隙之時，擬即照例
動支司庫銀兩，分派州縣河員，乘時興辦，并委勤幹之

員隨同道廳分段監催，督令承辦各官趕緊加土多用碱
工層層夯築，務期工歸實在，將不完處北岸黄沁上北二
廳堤工埽壩均屬穩固，其下北廳屬銅瓦廂工上年啓放
水戧段節次疏濬，仰賴
聖主福庇，化險為平。茲查該工所做埽壩挑溜，令河溜開行
漸遠，形勢頗順，雖工尾埽灣挑溜業已建有壩二四道，足
資捍衛。該處估修月堤有關堵要，現飭河北道唐侍陛駐
工督催，勒限完竣，所有承辦各員現俱照估儧築。查廳屬
如式，其曹考廳屬李六口大壩並廣盤埽一帶溜走中
泓，各工並臻鞏固。至南北兩岸河灘凡有溝槽窪形處
築土格土壩，支均經州縣據實趕辦，以防大汛。各廳應
備歲料，前經飭令籌酌定數目，即令道府照例委員採買
陸續運交，〻〻皆並就近嚴催儧運，今已照數堆貯工所，
〻〻李本款亦到，工將堆垛逐細丈量照號，並無短少，惟
向有堆卸河灘者，亦逐一遷至堤頂，成垛者現飭速移工廠照
式堆垛，以資儲備，以重修防。〻〻等仰遵
聖訓，同心協力，一切慎重料理，先事綢繆，不敢稍有懈弛，從此
要要料足工堅，時時密防，有備以仰副我

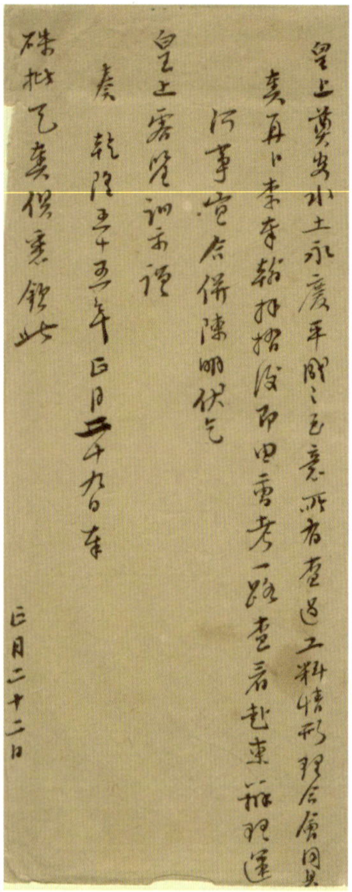

皇上冀安水土永慶平成之至意所有查過工料情形理合會同具
奏再臣李奉翰接摺後即由曹考一路查看赴東辦理運
河事宜合併陳明伏乞
皇上睿鑒訓示謹
奏 乾隆五十五年正月二十九日奉
硃批另奏俱悉欽此
正月二十二日

六二〇

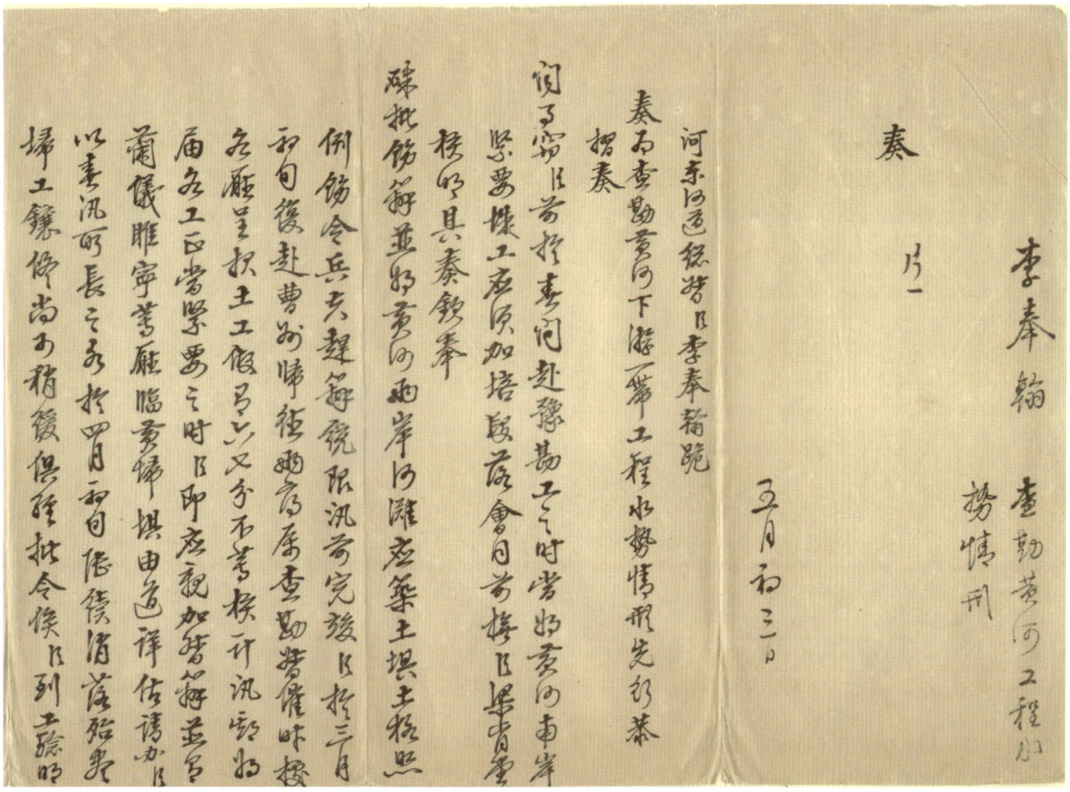
李奉翰 查勘黄河工程水勢情形

五月初三日

奏

片一

河東河道總督臣李奉翰跪

奏爲查勘黄河下游一帶工程水勢情形先行恭

摺奏

聞事。竊臣前於春間赴豫勘工之時，曾將黄河南岸

緊要埽工應須加培段落，會同前撫臣畢沅

核明具奏，欽奉

硃批飭辦，並將黄河兩岸河灘應築土埧土格照

例飭令兵夫趕辦，統限汛前完竣。臣於三月

初旬復赴曹州、歸德兩府屬查勘督催，昨據

各廳呈報土工俱已六七八分不等，核計汛前均

屆各工正當緊要之時，臣即應親加督辦，並因

蘭儀、睢寧等廳臨黄埽埧由道詳請辦，臣

以麥汛所長之水，於四月初旬係屬清落，殆與

埽工鑲修尚可稍緩，俱經批令候臣到工驗明

再行鑲做以歸核實。臣將運河一切應開之處與
巡漕御史臣和琳商定，交明運河道沈啟震
札飭料理，并令其前赴臨清以北衛河一帶妥
為籌理，總期各幫迅速儧出東境，無致稍有
遲滯。臣由濟寧、金鄉、曹單赴工，查勘曹南三
堡以下兩處埽前溜勢均屬平順，其新建
之挑水壩工甚為得力，從前歲修土工臣逐段量
驗，丈尺俱足，堤塘頂埽坡均經錐試，俱屬堅
實，當無滲漏。惟河灘坑塘截溝槽各土堤尚未
全竣，臣復委員監催趕辦，不致遲誤。查豫
東黃河下游與江境毗連，商邱新河尾以下必
須深通，則去路方可暢達。今臣一路探量水
深一丈一二尺至一丈六七尺不等，下注之勢極為通
順。臣現已行據商虞廳屬逐段查驗堤工，詳
加察勘，既不使稍有遲逾，尤不敢任其草率
苟簡，務期層層厢工程堅實，以資抵禦。臣
俟南岸下游各工勘畢，順道與新任撫臣穆
和藺將防汛事宜面加商定，後查勘南岸上
游各工，再行渡河前赴北岸勘工。除工程各
情形隨時具奏外，所有臣查過黃河曹單工
程各段並新河以下河身通暢情形，先行繕

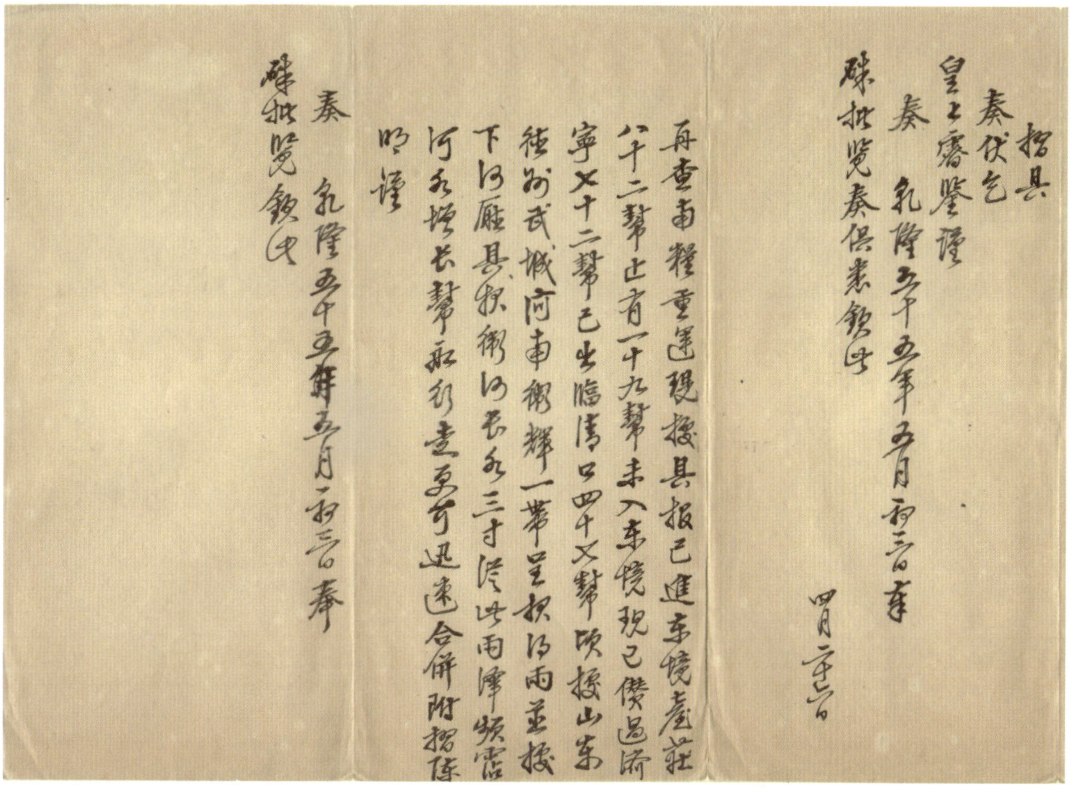

摺具
奏伏乞
皇上睿鑒謹
奏 乾隆五十五年五月初三日奉
硃批覽奏俱悉欽此
四月廿八日

再查南糧重運現據具報已進東境臺莊
八十二幫止有一十九幫未入東境現已儹過濟
寧七十二幫已出臨清口四十七幫頭接山東
德州武城河南衛輝一帶呈報得雨並接
下河廳具報衛河長水三寸似此雨澤頻霑
河水增長幫船行走更可迅速合併附摺陳
明謹
奏 乾隆五十五年五月初三日奉
硃批覽欽此

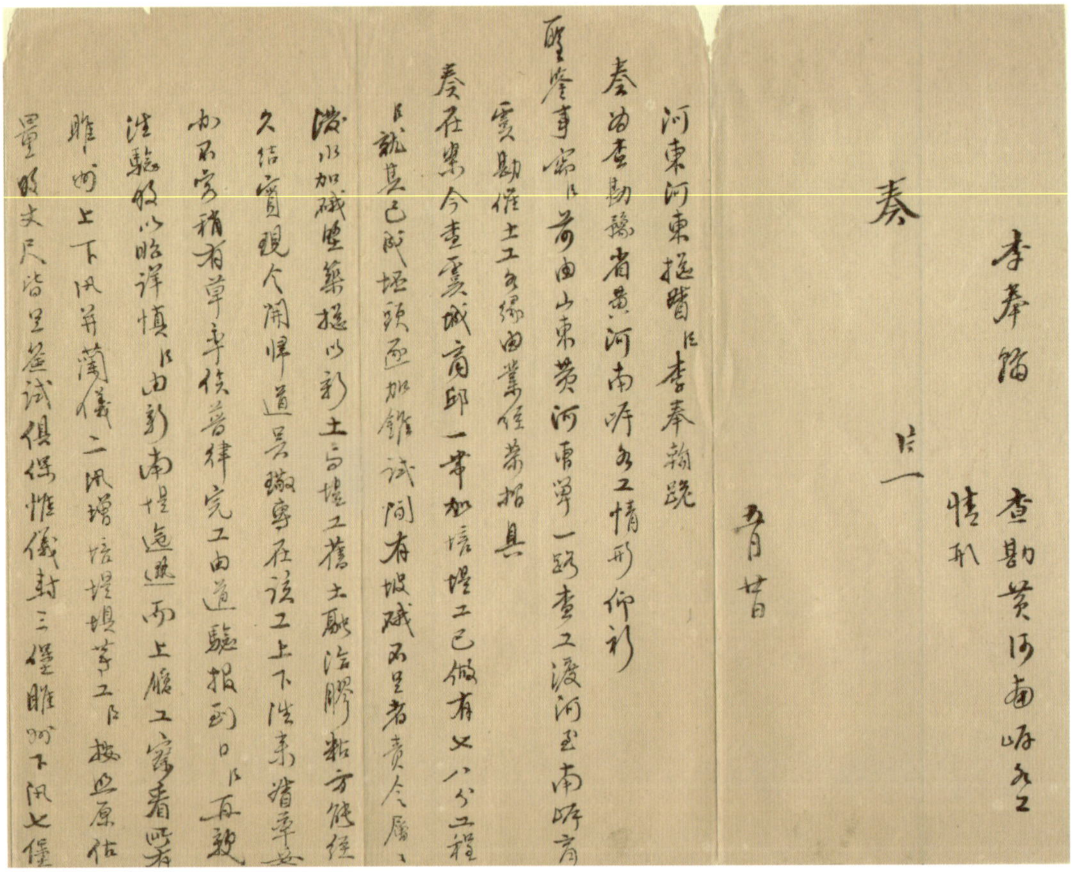

李奉翰

奏　查勘黃河南岸各工情形　片一

硃批

有旨

河東河道總督臣李奉翰跪

奏為查勘豫省黃河南岸各工情形仰祈

聖鑒事。竊臣前由山東黃河曹單一路查工，渡河至南岸商

虞勘催土工，各緣由業經恭摺具

奏在案。今查虞城商邱一帶加培堤工已做有七八分工程。

臣就其已成堤頂逐加錐試，間有堤戧不甚者，責令層層

潑水加硪，堅築總以新土與堤工舊土融洽膠黏，方能經

久結實。現今開歸道吳璥專在該工上下往來督率，毋

如不實稍有草率，俟普律完工，由道驗報到日，臣再親

往驗收，以昭詳慎。臣由新南堤迤邐而上，履工察看，所有

睢州上下汛并蘭儀二汛增培堤埧等工，臣按照原估

量明丈尺，皆呈錐試俱堅。惟儀封三堡睢州下汛七堡

加幫土工兩段，未後已飭令多添夫礮儧辦，即日全完。黑
堤月堤現任河係各員上緊趕辦，所有頂埽各層有限限
又添委人員專管稽查，層礮隨時簽試，可期尅日一律妥
後以作重門保障。其臨河埽壩前接該道廳詳修
各段，奴才逐一親勘，查得睢寧廳屬之史村鋪及睢州
大堤，儀睢廳屬高家寨，蘭儀廳屬蔡家樓、考儀封
三堡埽壩各工現在穩固堅整，此時但令廂加鑲。上南廳
之楊橋埽段尚高，應行緩辦，以節錢糧。其新築蔡
家樓西首挑壩一道，高家寨頭堡以下壩工一道，挑溜
頗為得力，飭令鑲埽累護，加意防守。下南廳之黑堤
工頭第一二三等段舊埽朽腐，溜勢稍緊，應乘此水
小之時徹底鑲修穩實，以禦大汛。至目下黃河離堤
存底水九尺餘寸至一丈一二尺不等，相距入伏之期尚
有二十餘日，兩河工切要全在預防。奴才凜遵防川甚先之
聖訓，慎而又慎，小心料理，不敢少懈。昨據稱和蘭南北岸查
勘蘭陽工次，奴才遵旨籌辦南北兩岸工程，察其平險，酌
委各員按段分守，俾大汛之時各各接續巡查，節節有人，
策應庶責成既專，而防護可期周密。茲於緊要工段

兩灘料物俱好常備每日量撥要調隨期人地相宜兵
夫在手工料有備臣與揆臣協力同心督率道廳等加謹
保護務使工固瀾安仰副
聖主慎重河防之至意除將北岸各工次第勘查料理另行
具奏外所有查過南岸工程情形及籌備防汛事宜
理合繕摺奏
聞伏乞
皇上睿鑒謹
奏
乾隆五十五年五月二十日奉
硃批覽奏俱悉欽此
五月初七日

再臣自東至豫經由曹州歸德開封各府屬沿河一
帶于四月二十七八并五月初一初四五等日接續得雨所
種秋之黍豆俱經長發民情極為寧謐合併附摺陳
明謹
奏　同日奉
硃批覽欽此

六三二

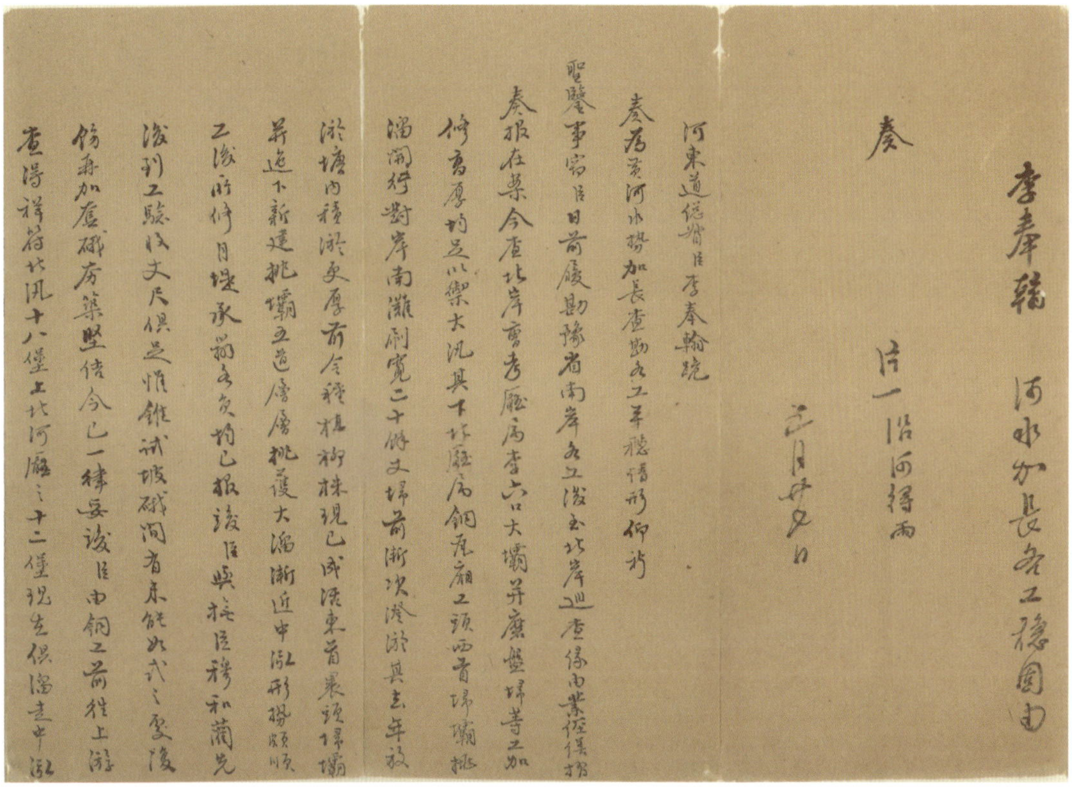

李奉翰　河水加長各工穩固由

奏

片一　沿河得雨

五月廿五日

河東道總督臣李奉翰跪

奏爲黄河水勢加長查勘各工平穩情形仰祈

聖鑒事。竊臣日前履勘豫省南岸各工，渡至北岸迴查，緣由業經具摺

奏報在案。今查北岸曹考廳屬李六口大壩并廣盤埽等工加

倍高厚，均足以禦大汛。其下北岸廳屬銅瓦廂工頭兩首埽壩挑

溜開行，對岸南灘刷寬二十餘丈，埽前漸次淤淤，其去年改

淤塘內種淤更厚，前令種植柳株，現已成溪，東首展頭埽壩

并迤下新建挑壩五道，層層挑護大溜，漸近中泓，形勢頗順。

工險所係，自堤承辦各員均已報竣。臣與撫臣穆和蘭先

後到工驗收，丈尺俱足，惟錐試坡磯，間有未能如式之處，復

飭再加修磯，務築堅信。今已一律妥竣。臣由銅工前往上游

查得祥符北汛十八堡、上北河廳之十二堡，現在俱溜走中泓

埽工平穩其古黄池去秋外灘塌去六十餘丈河勢漸近飭令
築修土壩二道各長六十餘丈以為外護將來如果溜勢逼
近壩根再行下埽鑲護並覓掛衛其前除工及陽武五堡等
處堤壩防風逼一律勘均修理完整該處陽武封邱一
帶臨河灘面向係南高北窪每年風水漲發漫灘之水儲
至堤根汪洋一片尤恐大河溜勢分趨牽掣堵除去年在於
灘面窪形之處間段築做土壩攔截不使流通串注堤根
今各處溝形已淤墊一尺至二尺餘寸不等今春又飭添土於
土壩其上游黄沁廳屬武陟縣濟一帶臨河漫灘進水溝
槽相度形勢層層攔禦以截來源以保堤工臣昨於途次
接據甘甫寧度府呈報自四月二十日起至五月初八日陸續長
水七尺四寸今于黄沁二次又接陝州呈報萬錦灘於五月十
四日酉時陡長水三尺現在長落未定等情臣當傳令撥派
行一體防護並飭各道廳營汛加謹巡防去後茲據各
廳等穿報於十五十六等日各工長水一尺五寸至二尺九寸不
等工程俱屬平穩臣即由黄沁渡河復至南岸巡查竊
看此次長水各工河勢趨向情形相機小心料理時存敬惧
不敢稍懈所有臣查過北岸各工並河水加長工程平穩緣

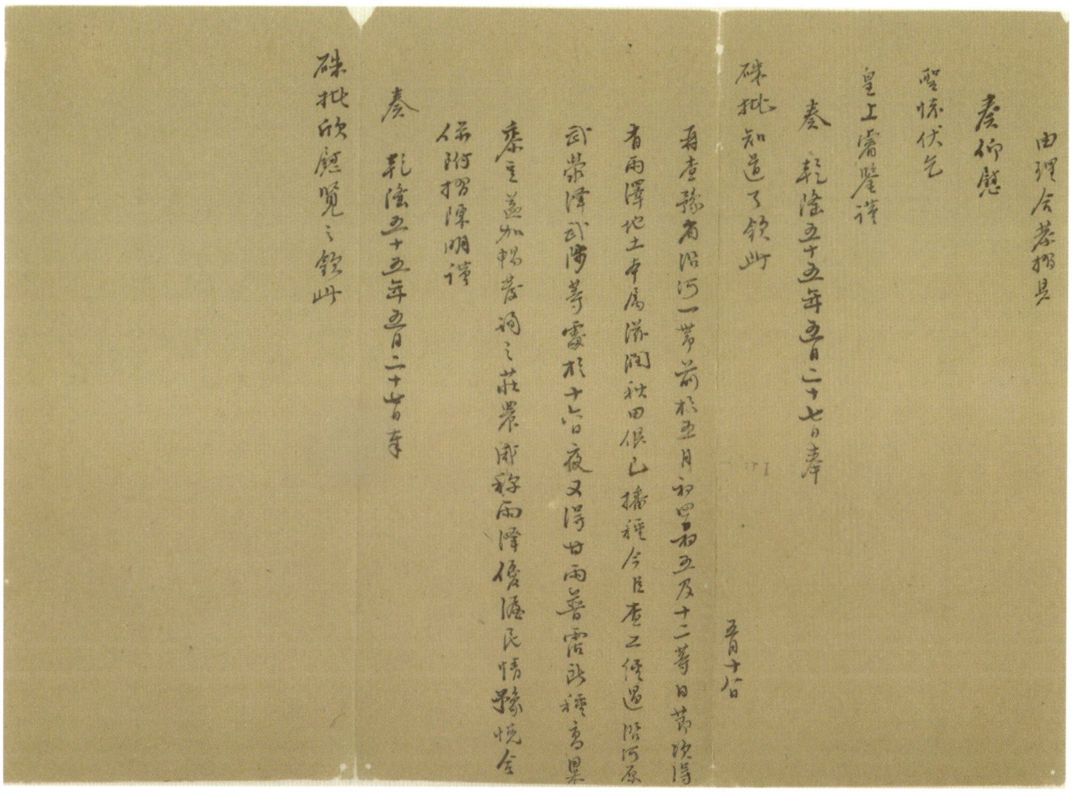

由理合恭摺具
奏仰慰
聖懷伏乞
皇上睿鑒謹
奏 乾隆五十五年五月二十七日奉
硃批知道了欽此
五月十六日
再查豫省沿河一帶前於五月初四初五及十二等日節次得
有雨澤地土本屬滋潤秋田俱已播種今臣查工經過沿河原
武滎澤武陟等處於十六日夜又得甘雨普霑該種高粱
黍豆益加暢茂詢之莊農咸稱雨澤優渥民情豫悅合
併附摺陳明謹
奏 乾隆五十五年五月二十七日奉
硃批欣慰覽之欽此

六二三

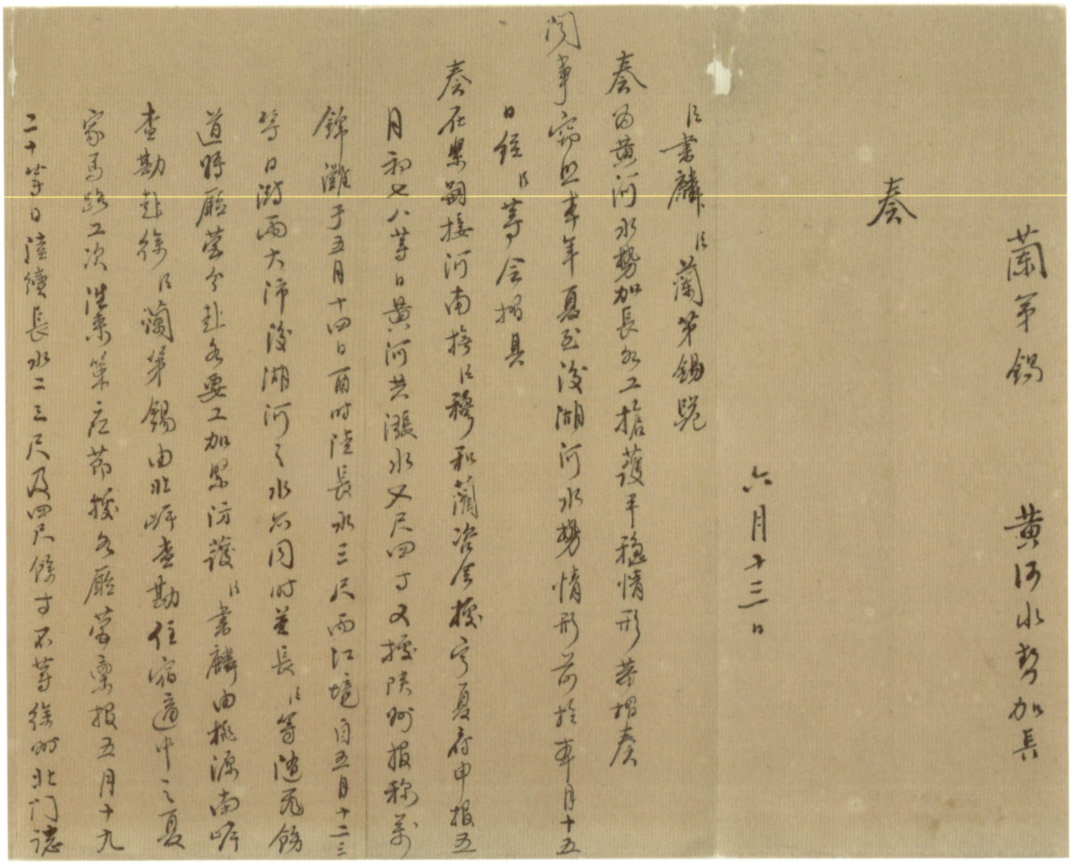

蘭第錫　黄河水勢加長

奏

六月十三日

臣書麟　臣蘭第錫跪

奏爲黄河水勢加長各工搶護平穩情形恭摺奏

聞事。竊照本年夏至後湖河水勢情形前於本月十五

日經臣等會摺具

奏在案。嗣接河南撫臣穆和藺咨會，據守夏存中報五

月初七八等日黄河共漲水又尺四寸，又據陝州報稱，萬

錦灘于五月十四日酉時陸長水三尺，兩江境自五月十三

等日湖西大汛後湖河之水亦同時並長。臣等隨飛飭

道將廳營分赴各要工加緊防護。臣書麟由桃源南岸

查勘赴徐，臣蘭第錫由北岸查勘，住宿適中之

家馬路工次。據運第應節據各廳營稟報五月十九

二十等日陸續長水二三尺及四尺餘寸不等，徐州北門誌

椿于五月二十日長水三尺六寸連前所存長水一丈二尺水
勢頗吃重堤各工在在險要查唐家灣引河及毛城
鋪西壩頭上年過水停淤坍損處所前于四月內即已
疏築妥協其下游之洪澥各河亦已一律挑濬深通
此次長水已於
奏定閘放水誌椿准徐道師彥公稟稱即于二十日親
赴唐家灣督同廳營照例啟除引河攔壩俾水由
毛城鋪滾壩分洩過水六尺餘寸甚為暢順大河水
勢已漸平定其銅山之天然閘睢寧之峰山四閘現
仍照閉未動等情前來臣書麟行至徐城即親
赴毛城鋪查勘過水情形等畢其豐碭廳屬徐家
莊迤下之崔家莊新生埽工欽遵
聖明指示加築挑水壩一道業經趕築如式臣書麟察看
挑溜甚為得力新廂工段已免蟄重在工人員莫不
同聲欽感惟現當大汛水勢長落靡定之時仍加
緊集料防護不敢稍存大意其徐州以下邳北睢南
硃
是極應敬慎
各工現經一律搶護穩固連日已消水一尺餘寸所
有邳北之趙家馬路迤上溜刷堤根處所自迤

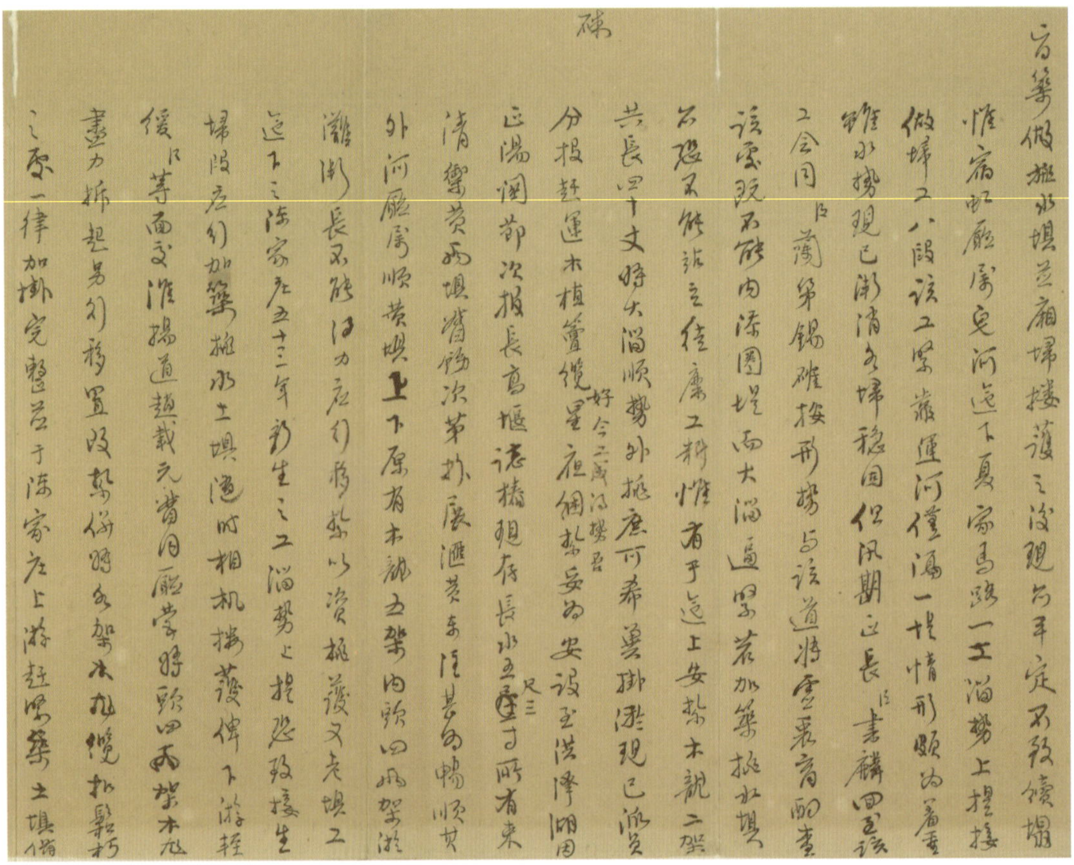

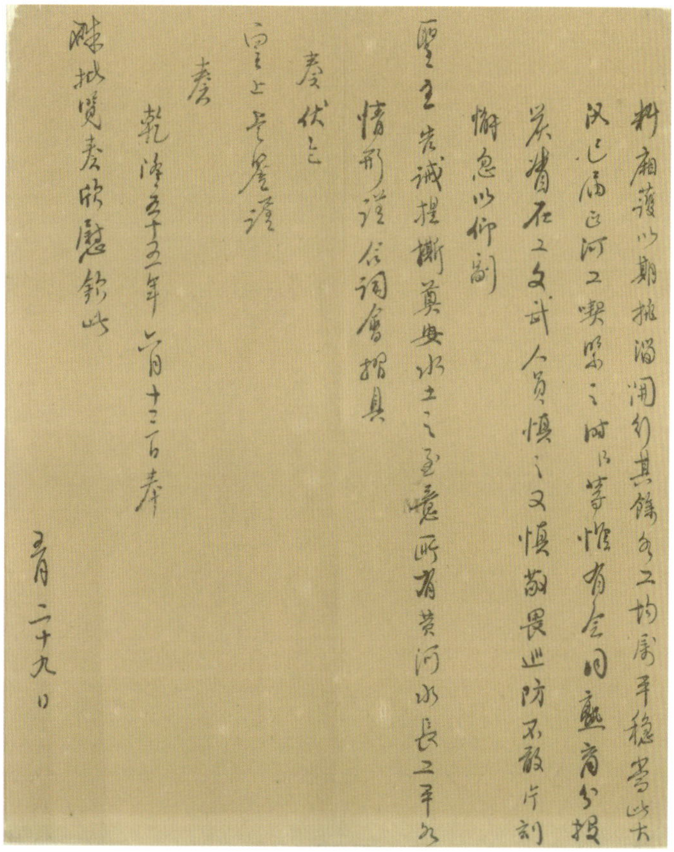

料廂護以期搶滔涸行其餘各工均屬平穩當此大
汛已屆正河工喫緊之時臣等惟有會同盡心督飭
廳營在工文武人員慎之又慎敬畏巡防不敢片刻
懈怠以仰副
聖主先識提撕奠安水土之至意所有黃河水長工平各
情形謹合詞會摺具
奏伏乞
皇上睿鑒謹
奏
乾隆五十二年六月十二日奉
硃批覽奏欣慰欽此
六月二十九日

六二四

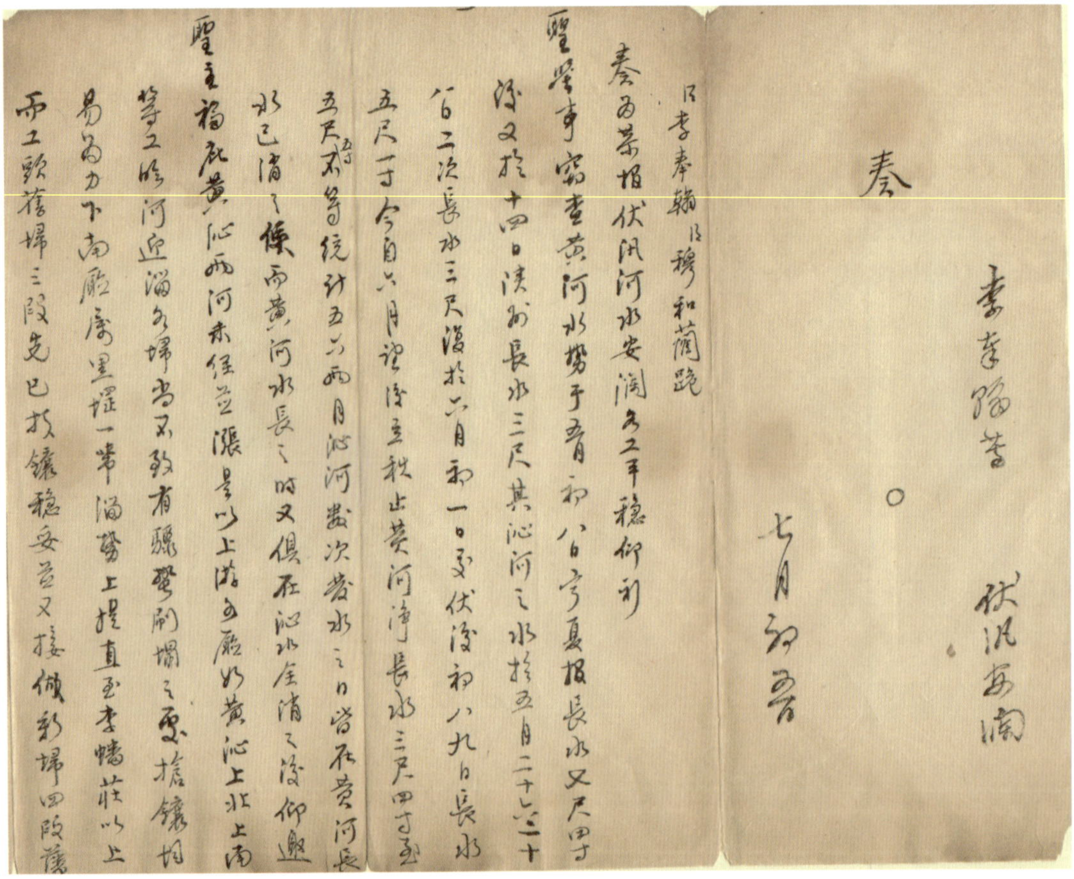

奏

李奉翰 伏汛安瀾

七月初[illegible]

臣李奉翰臣穆和藺跪

奏為恭報伏汛河水安瀾各工平穩仰祈

聖鑒事竊查黃河水勢于五月初八日前具報長水又尺四寸

續又於十四日陸續長水三尺其沁河之水於五月二十六二十

八日二次長水三尺隨於六月初一日交伏隨初八九日長水

五尺一寸今自六月望後至秋止黃河陸續長水三尺四寸至

五尺有奇不等統計五六兩月沁河數次發水之日皆在黃河長

水已消之際而黃河水長之時又俱在沁水全消之後仰邀

聖主福庇黃沁兩河未經並漲是以上游南廳北岸黃沁上北上南

等工臨河迎溜各埽尚不致有蟄刷埽之處搶鑲坦

易為力下南廳虞里堤一帶溜勢上提直至李樓莊以上

而工頭舊埽三段先已拋鑲穩妥並又接做新埽四段護

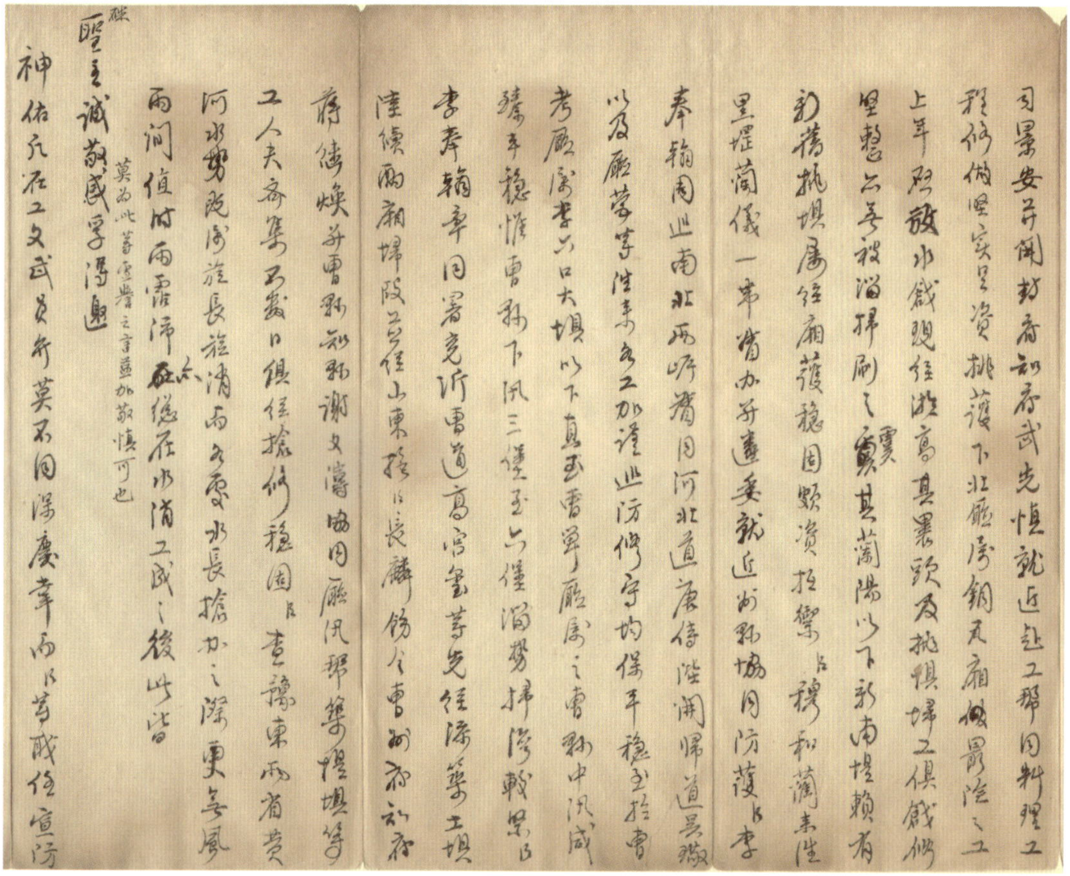
司署安并開封府知府武先慎就近赴工幫同料理工
程，俾俱堅實。是以挑護下北廳屬銅瓦廂埝隄之工
上年所放水錢題經灘高其界，致及挑做埽工俱戧做
堅整。至若被淹埽刷之處，其蘭陽以下新南隄頂有
初舊挑填屬經廂護穩固，既資捍禦。臣穆和蘭來往
黑堤蘭儀一帶，督办并遴委就近協同防護。臣李
奉翰因巡南北兩岸，督同河北道康侍隆、開歸道吳璥
以及廳營等隨來多工加謹巡防修守，均保平穩。至於曹
考廳屬李六口大堤以下直至曹單廳屬之曹縣中汛，咸
臻平穩。惟曹縣下汛三堡至六堡溜勢掃灣，較緊，臣
李奉翰率同署兗沂曹道高崇基等先經添築土壩
堤續兩廂埽段，並經山東撫臣長麟飭令曹州府知府
蔣德煥并曹縣知縣謝文灝協同廳汛帮築隄壩等
工，人夫齊集，不數日俱經搶做穩固。臣等查豫東兩省黄
河水勢，既屬旋長旋消，而各處水長搶办之際，更多風
雨，間值伏雨霪霈，亦總在水消工竣之後，此皆
莫為此等虛譽之言，益加敬慎可也
聖主誠敬感孚，仰邀
神佑，凡在工文武員弁莫不同深慶幸。而臣等職任宣防

愈加悚惕。此時伏汛雖過，秋汛正長，現在董率各員小心
防護，不敢少懈，務期永慶平成，以仰副
皇上慎重河防之至意。所有伏汛安瀾工程鞏固緣由，理合恭
摺由驛具
奏，上慰
聖懷。伏乞
皇上睿鑒。謹
奏。
乾隆五十五年七月初五日奉
硃批：覽奏欣慰。欽此。

首二十七日

臣李奉翰跪
奏。再查南糧重運江西廣信尾幫，前於六月初七日全出江
清口北上，當經具
奏在案。今接運河道沈啓震等報，南糧尾船已於六月
十四日挽過濟寧州，連前共計一百零一幫全出東境北上。
其南糧回空幫船，現已挽入東境三十二幫，遞行南下等

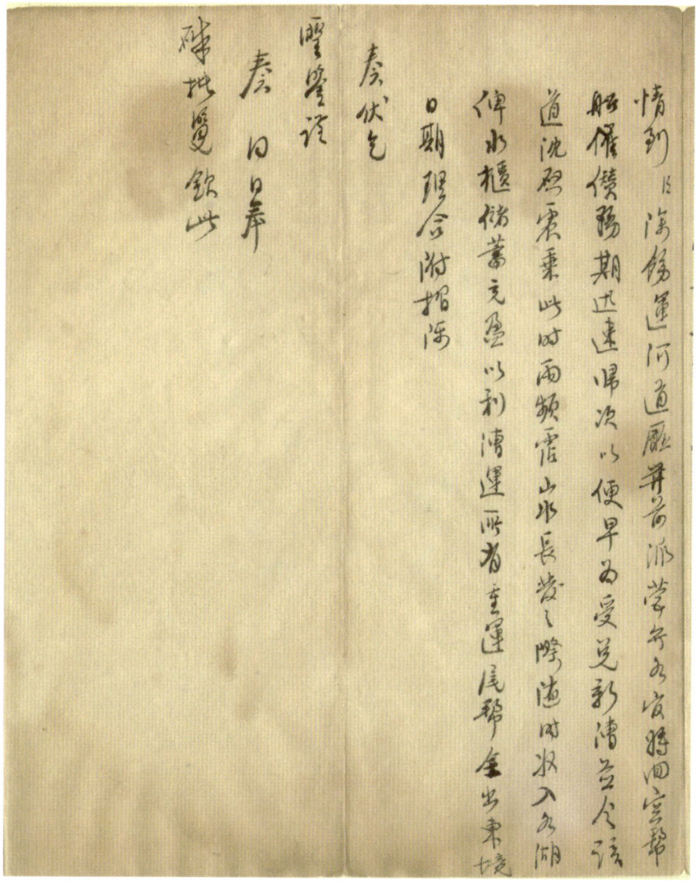
情形，臣復飭運河道廳并前派營弁分投將回空幫船催儧，務期迅速歸次，以便早爲受兌新漕。至今該道沈啟震稟稱，此時雨頻霑，山水長發之際，隨時收入各湖，俾水櫃儲蓄充盈，以利漕運。所有重運尾幫全出東境日期，理合附摺陳奏，伏乞聖鑒。謹奏。同日奉硃批：覽。欽此。

六二五

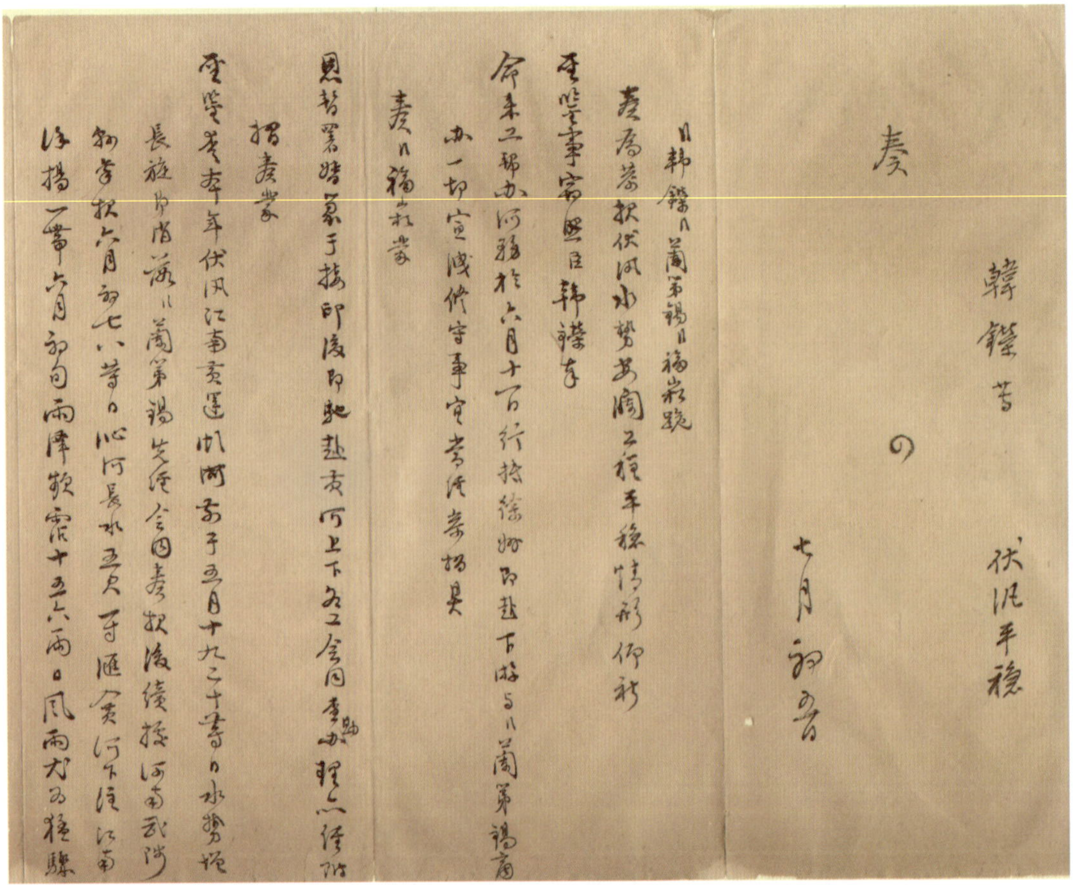

奏

韓鑅等　伏汛平穩

の

七月初五日

臣韓鑅、臣蘭第錫、臣福崧跪

奏爲恭報伏汛水勢安瀾工程平穩情形仰祈

聖鑒事。竊照臣韓鑅等

命來工帮辦河務，於六月十四日行抵徐州，即赴下游與臣蘭第錫商

辦一切宣防修守事宜，當經會摺具

奏。臣福崧業

恩賞署理篆務，接印後即馳赴黄河上下各工，會同李奉翰經理，已經附

摺奏蒙

聖鑒。查本年伏汛江南黄運湖河于五月十九二十等日水勢極

長，旋即消落。臣蘭第錫先經會同奏報後，續接河南武陟

縣等報六月初七八等日沁河長水五尺，[illegible]匯入黄河下注江南

徐揚一帶，六月初旬雨澤較密，十五六兩日風雨大[illegible]極驟

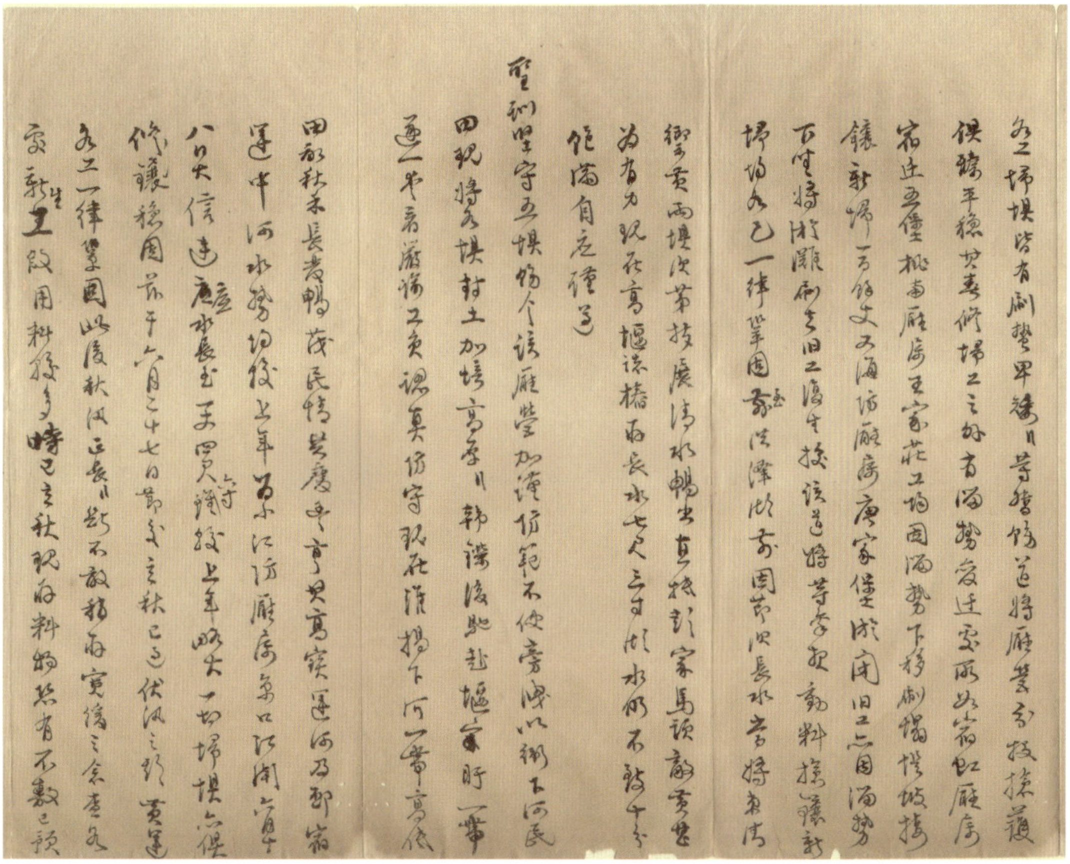
各工埽壩皆有刷墊單薄臣等督飭道將廳營分投搶護
俱臻平穩其奏修埽工之始有溜勢變遷處所如宿虹廳屬
宿遷三堡桃南廳屬王家莊工均因溜勢下移刷損埽坡搶
鑲新埽一百餘丈又海防廳屬唐家堡徐閘舊工亦因溜勢
下坐將攔灘刷去舊工復生搶護該道將等分投動料搶鑲新
埽均各已一律穩固至洪澤湖因節次長水當將東清
御黃兩壩次第拆展清水暢出直抵彭家馬頭敵黃甚
為有力現在高堰誌樁存長水七尺三寸湖水仍不能十分
飽滿自應遵
聖訓堅守五壩飭令該廳營加謹防範不使旁洩以衛下河民
田現將各壩封土加培高厚臣韓鑅復馳赴堰盱一帶
逐一查看嚴諭工員認真防守現在淮揚下河一帶高低
田廬秋禾長發暢茂民情安慶其高寶運河及邵伯
運中河水勢均較上年為小江防廳屬京口江閘六月十
八日大汛迭臨水長至五尺[illegible]鑲搶較上年略大一切埽壩亦俱
修護穩固於本年六月二十七日節交立秋已過伏汛之期黃運
各工一律鞏固此後秋汛正長臣等不敢稍有懈惰之念查各
處新生工段用料較多時已立秋現存料物恐有不敷之類

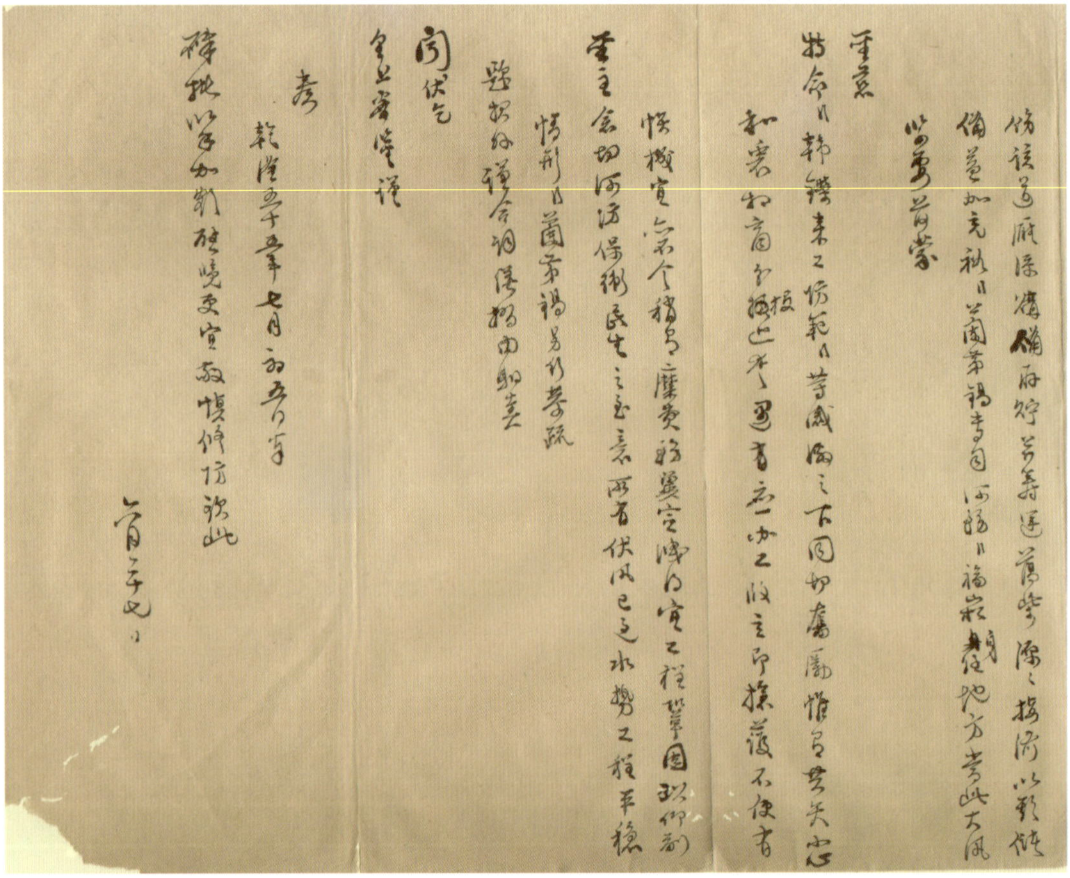

飭該道廳汛嚴備防守并籌運蘆葉源源接濟以彰慎
備益加完固臣蘭第錫查閱河務臣福崧親赴地方查此大風
以昭慎重
聖意
特命臣韓鑅來工協辦臣等感激之下同切奮勵惟有益矢忠
勤悉心商酌按照工段逐一[illegible]總期[illegible]不使有
負
恃機宜示令稽核庶資[illegible]定之程[illegible]圖報仰副
聖主念切河防保衛民生之至意所有伏汛已過水勢工程平穩
情形臣蘭第錫另行恭疏
題報外謹合詞繕摺由驛奏
聞伏乞
皇上睿鑒謹
奏
乾隆五十五年七月初五日
硃批以後加意防護更宜敬慎修防欽此

六三六

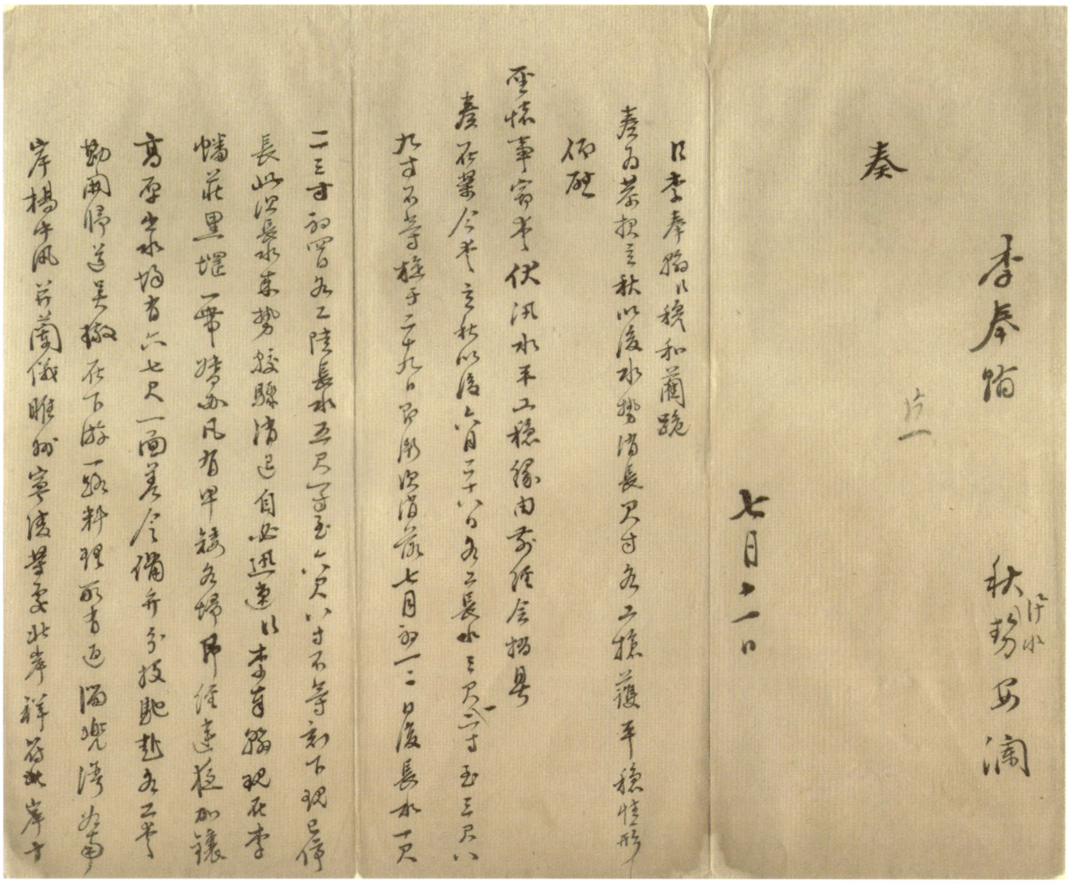
奏
李奉翰
秋汛安瀾
七月廿一日

臣李奉翰、臣和蘭跪
奏為恭報立秋以後水勢消長尺寸及工程穩固平穩情形，
仰祈
聖鑒事。竊查伏汛水平工穩緣由，前經會摺具
奏在案。今查立秋以後，六月二十八日及七月初一二日長水三尺一二寸至三尺八
九寸不等，據徐州道稟，七月初一二日復長水一尺
二三寸，初四日又陸長水五尺五寸至六尺八寸不等，刻下現已停
長。此次長水來勢較驟，消退自必迅速。臣李奉翰現在李
家莊黑堤一帶，將前項各工搶辦，即經速趕加鑲
高厚，出水均有六七尺，一面責令備弁分投馳赴各工，
勤兩防道員督，在下游一體辦理。所有道汛兩岸
岸、楊家廠、蘭儀、睢州、寧陵等處北岸，祥符北岸十

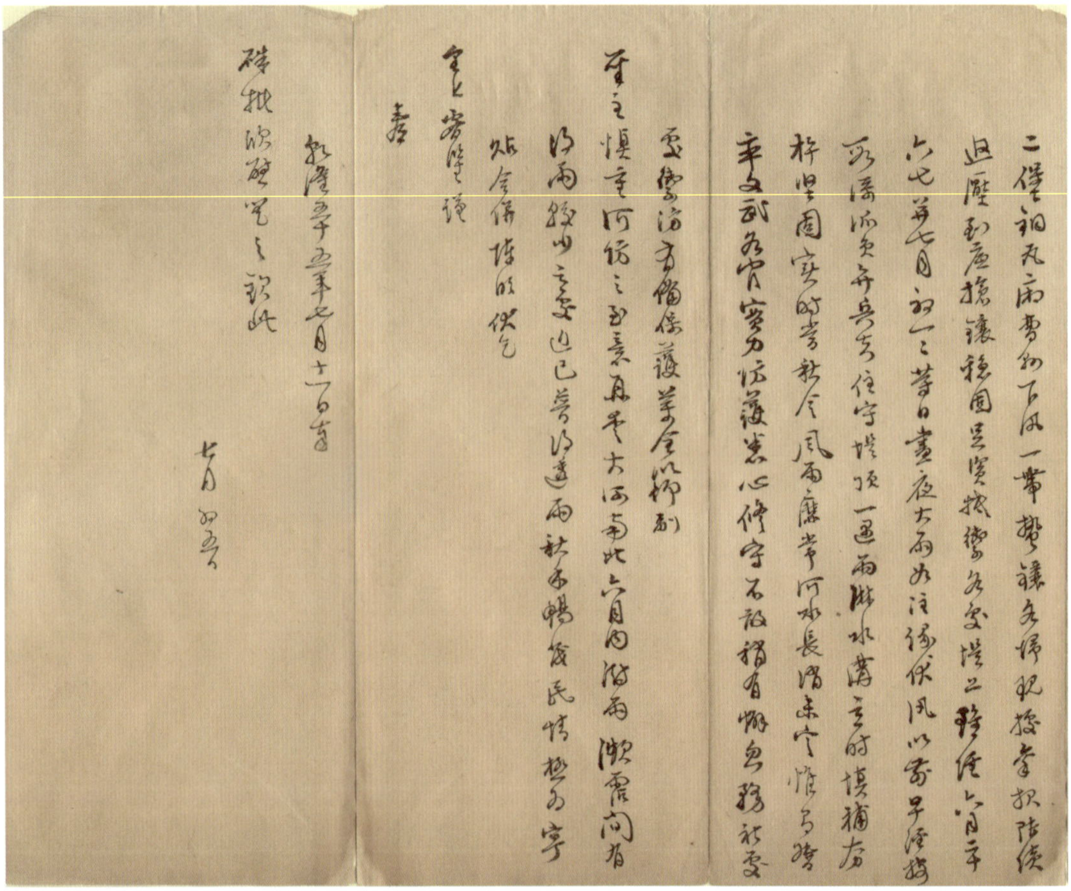
皇上睿鑒謹
奏
乾隆三十五年七月十六日奏
硃批：欣慰覽之。欽此
七月初五

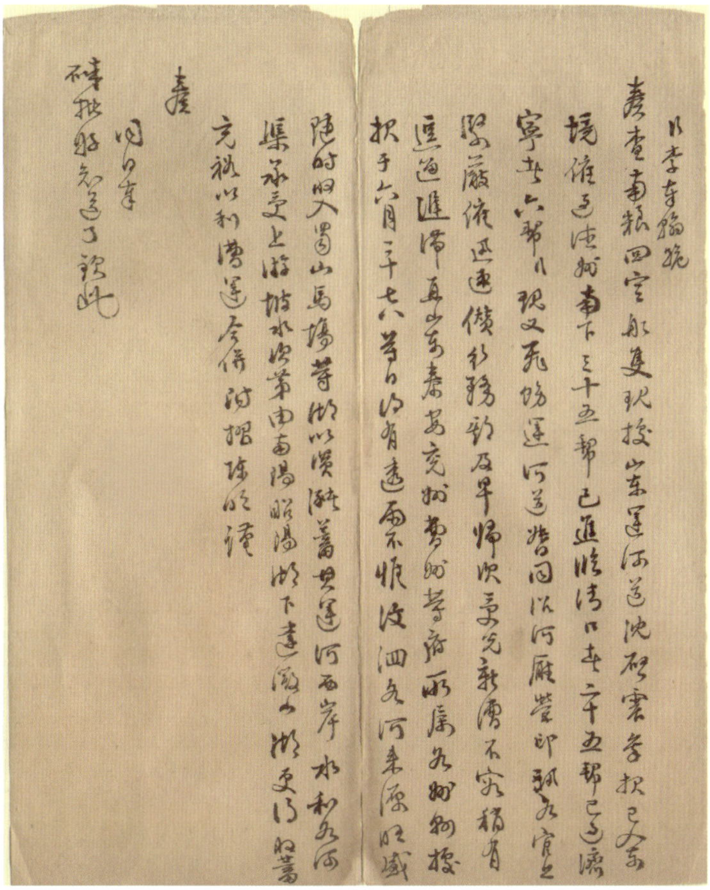
臣李宏謹跪
奏查南糧回空船隻現據山東運河道沈廷霖等稟報已入東
境催趲過濟南下三十五幫已過臨清口共二十五幫已過濟
寧共六幫現又飛飭運河道暨同沿河廳營印汛各官上
緊嚴催趲攢行務期及早歸次受兌新漕不致稍有
遲延再查山東泰安兗州曹州等府所屬各州縣據
報于六月二十七八等日均有透雨不惟汶泗各河來源旺盛
隨時收入蜀山馬場等湖以資瀦蓄其運河西岸水利各河
渠亦受上游諸水洩歸由南陽昭陽湖下達微山湖更可收蓄
充裕以利漕運合併附摺奏聞謹
奏
同日奉
硃批知道了欽此

六二七

韓鑅等　毛城鋪工水情形

奏

七月二十二日

臣韓鑅臣蘭第錫跪

奏爲黃河水勢續長各工搶護平穩並毛城鋪過

水情形恭摺具奏仰祈

聖鑒事竊查立秋後六月二十八九等日黃河水勢

增長各工平穩情形經臣等奏

聞在案自立秋以来陰雨連綿河水續長臣等上下

往来嚴督工員加謹防範據武陟縣報稱六月

二十七七月初一等日沁河共陡長水三尺九

寸並准河東河臣李奉翰咨會陝州萬錦灘于

七月初三日辰時陡長水六尺初四日卯時又

陡長水六尺南河各工於初六七等日長水四

五尺至七八尺不等徐州北門外誌樁連舊存長

水共一丈四尺五寸南北兩岸水勢浩瀚兩塀
減水各閘壩先經
奏明啓放分洩河水尚未停長各廳埽工在在吃
緊臣韓鑅在睢南廳屬周家樓新築壩工及魏
家莊等處臣蘭第錫在宿虹廳屬夏家馬路及
邳州七壩各工分投督辦于十一日據淮徐道
師彦公遊擊莊剛稟稱初七日豐碭廳屬唐家
灣引河出槽漫灘湧注毛城鋪滚壩又蕉𡉏灘
民埝漫缺西處同時滙注該堤過水深一丈九
尺東頭漫入水中致將西裹頭後鉗口土堤尾
刷寬二十餘丈過水仍由堤下歸洪溝河下注
等語臣等先後馳赴該處會同查看水勢平緩
不致引動正溜毛城鋪誌樁現已消落二尺八
寸徐城水誌陸續落水二尺五寸現存水一丈
二尺下游各廳亦據報消水尺許工程俱漸平
穩其毛城鋪外灘各埝漫缺之毛家莊一處業
已掛淤尚有王平庄一處未經斷流刻下節逾
處暑水勢日消所有毛家鋪西裹頭後刷寬之

處臣等現在督率道將趕緊補築以資節制不
日即可完竣所費工料無幾臣蘭第錫同道將
各官全數分賠不敢請銷錢粮再毛城鋪及天
然閘所減之水並歸洪濉二河下注未免稍大
委查洪河兩岸民淤間有漫缺附近田地不無
淹浸現在署督臣福崧駐防河口臣等已咨會
確查辦理伏查此次長水與上年六月內水勢
相同賴有各閘壩分洩通暢兩岸各工得以一
律搶護平穩其洪濉等河減下之水由泗山盂
山等湖遞達洪澤湖現在高堰誌樁存水七尺
一寸比上年此時水小五尺餘寸月餘以來淮
河上游正陽關水勢並未加長湖心平衍足資
容納山盱五壩自可無庸啟放臣等仍飭淮揚
道趙藏元率屬嚴加防範俾山陽高寶一帶及
下游各州縣早晚稻穀均得豐收以仰副
聖主惠愛民生之至意除將毛城鋪過水裹頭刷寬
疏防各官臣蘭第錫
題參外所有黄河水勢續長毛城鋪過水情形及各

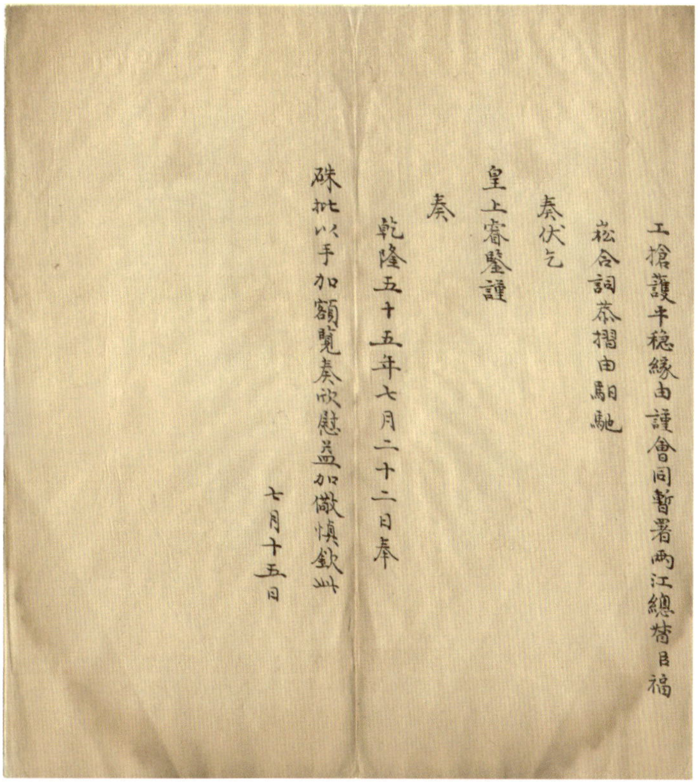

工搶護平穩緣由謹會同暫署兩江總督臣福
崧合詞恭摺由驛馳
奏伏乞
皇上睿鑒謹
奏
乾隆五十五年七月二十二日奉
硃批以手加額覽奏欣慰益加儆慎欽此
七月十五日

再鳳陽府屬之宿州地處下游，現在俱將民田積水已

疏濬要緊橋座，因擇其緊要飭該管道府實力查辦，以

期妥速辦理，合附片奏

聞，謹

奏。同日奉

硃批：覽。欽此。

六二八

奏

李奉翰等　黄河長水漸消各工平穩由

八月初一日

臣李奉翰臣景安跪

奏為時逾處暑黄河長水漸消各工保護平寧仰慰

聖懷事竊查立秋以後六月二十八並七月初四等日河水加長工

程穩固緣由當經恭摺奏

聞在案七月初五日酉刻連據陝州呈報萬錦灘兩日内長水一丈

二尺七月十日又據寧夏府呈報陸續長水九尺一寸十三日

又報長水一尺八寸臣等俱即飛檄分别咨行一體加謹防

護旋據各廳禀報各工水勢積長自七尺九寸至九尺不

等北岸原武迤下南岸儀封迤下俱出槽漫灘漾至堤

根所有大堤一帶處處均關緊要除按段原派官弁

兵夫防護之外臣李奉翰又添派標營弁目來往巡

查臣景安督飭各州縣傳集近堤鄉夫按堡住守協同

晝夜防範以期保護周密查七月初五至初八日霖雨
疊沛連宵達旦兼因東北風勢盛大南岸各工尤為
著重臣李奉翰自北岸一路勘查料理渡至南岸挨
次查辦將下南廳之李蟠莊黑堽等處工程督同搶
護凡新舊埽壩均經搶鑲穩固其蘭陽蔡家樓
一帶頗有工頭西首挑水埽壩足以挑護儀封三堡并
睢州工汛之高家寨下汛之十三堡新鑲埽壩俱坐當
迎溜更值風雨急溜湧高掀揭埽眉率各工料物應
手兵夫雲集印與開歸道吴璥督率搶辦至初八日申刻
風小雨止天氣晴爽據各工稟報落水四尺九寸至六尺七八
寸兩岸老灘亦漸涸露堤工埽壩俱屬堅整完固臣李
奉翰接據兗沂曹道索寧安稟報曹縣下汛六堡河
水長至一丈零八寸除消一尺八寸尚存九尺因南岸長
有淤灘以致溜勢緊逼北岸雖有新建挑水壩賴
以挑護而該壩溜急上堤均須鑲護等情臣隨即馳
抵該工查看對岸灘嘴挺出河心逼溜北趨形勢較為
著緊而該工堤身先經幫寬已應將挑水埽壩追鑲
堅實并于迤工接鑲埽段可資捍禦惟查該工自三

堡以至六堡埽段綿長必須分投儧辦隨調撥附近備弁兵丁派段分修今新做護埽長一百二十四丈並排水壩各埽均已鑲壓到底一律穩實自十四日起該工陸續消水四尺二寸大溜亦暢開行臣等伏查交秋以後節次長水固屬統查豫東二省兩岸一切埽壩雖有行勢跟鑲埽前水深四丈一二尺至五丈八九尺不等而屢加追壓益資堅穩瞬屆白露暑雨無多河水可期日漸減退臣等經此汛水盛漲凜惕之餘殊深敬謹斷不敢以河水見消稍存懈忽惟有益加慎重實力修防務使各工平寧河水安瀾以仰副

聖慈垂廑河防之至意所有現在水勢消落各工保護平穩情形理合會摺具

奏伏乞

皇上睿鑒謹

奏

乾隆五十五年八月初一日奏

硃批以手加額覽之餘有旨欽此

七月十八日

臣李奉翰跪
奏查山東汶泗各河源流旺盛隨時收入各湖以利漕運緣
由節經附摺奏陳
聖鑒茲查東省霖雨疊沛各處坡水甚大山泉旺發運河
水勢倍覺充盈臣現飭運河道沈啟震將各湖收水
閘門全行啟放令其暢歸各湖既可以收蓄充裕並可
硃
藉此分減河水以保堤堰而運河水是勢平順回空糧
船更可挽行無滯現在南下幫船已過德州四十二幫已
過濟寧三十幫已出東境六幫行走迅速合併附摺陳
明謹
奏　乾隆五十五年八月初一日奉
硃批覽欽此
同日

六二九

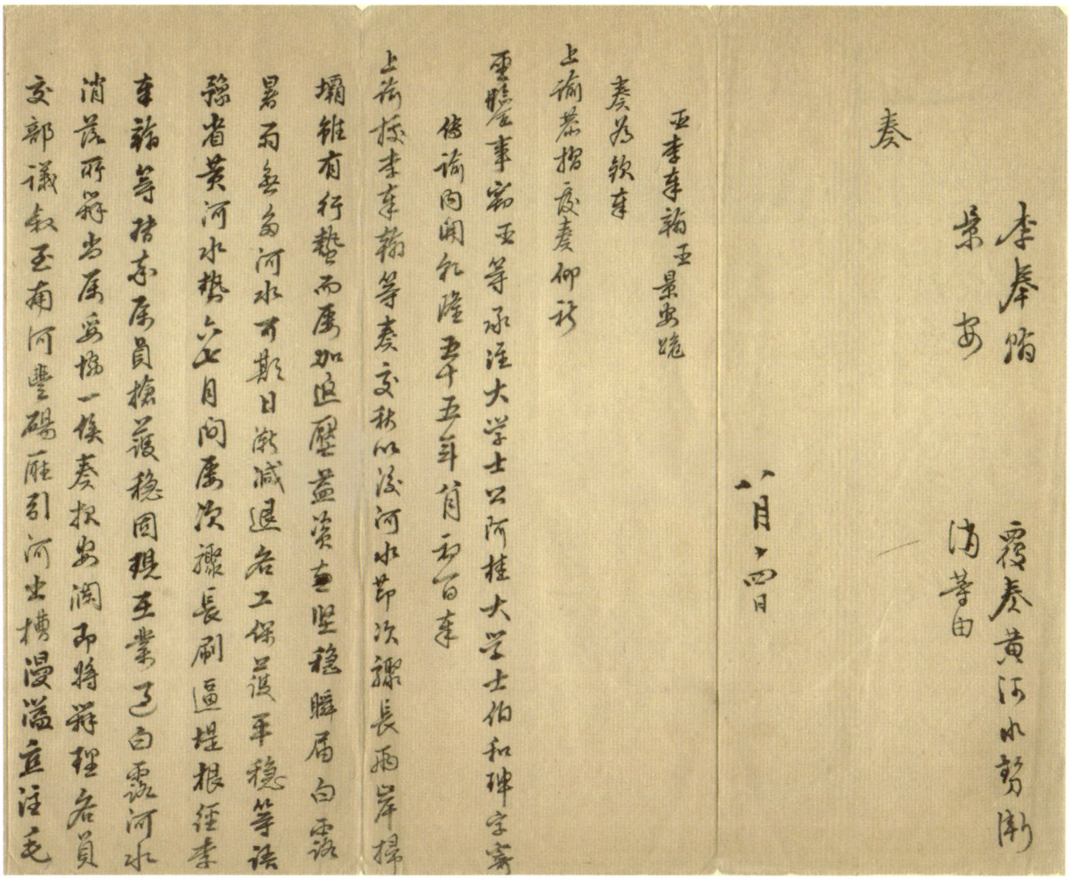

奏

李奉翰
景安　覆奏黃河水勢漸消落由

八月十四日

臣李奉翰、臣景安跪

奏為欽奉

上諭恭摺覆奏仰祈

聖鑒事。竊臣等承准大學士公阿桂、大學士伯和珅字寄，

傳諭內閣，乾隆五十五年八月初[illegible]日奉

上諭：據李奉翰等奏，立秋以後河水節次漲長，兩岸埽壩雖有行蟄，而屢加追壓，益資堅穩。瞬屆白露，若再無多，河水可期日漸減退，各工保護平穩等語。豫省黃河水勢六七月間屢次漲長，刷逼堤根，經李奉翰等督率廳員搶護穩固。現在業已白露，河水消落，所有出力廳員著一併奏報，並將辦理各員交部議敘。至南河豐碭廳引河出槽，漫溢直注毛

城鋪以致西裏所刷寔遏水蕭碭宿州等處向被淹
浸昨據韓鑅等奏報西裏所刷寔之處已經補築
完固被淹各處自可漸次涸出且毛城鋪原係減水坎
下漫溢之水更易疏消著傳諭韓鑅蘭第錫即
督率汛員等實力辦理設法疏消堤壩各工亦皆
保護堅固如果河水消落工程平穩該督等奏報
安瀾時亦必照李奉翰等之例特予甄敘用示獎
勵該督等務須益加黽勉不可稍存懈忽之心將此
由四百里傳諭韓鑅等並諭李奉翰等知之欽此
韓鑅等將近日辦理情形迅速覆奏欽此遵
旨寄信前來臣等伏查黃河水勢交秋以來節次
漲長臣等督同道廳文武各員搶鑲埽壩保
護長堤悉皆仰遵
皇上殷懷之
硃批節次訓飭之
諭旨夙夜小心將一切緊要工程如南岸陽武李蜡
莊蔡家樓儀封三堡睢州上下汛新舊埽壩北
岸銅瓦廂工尾五壩等處河溜趨逼工程險要

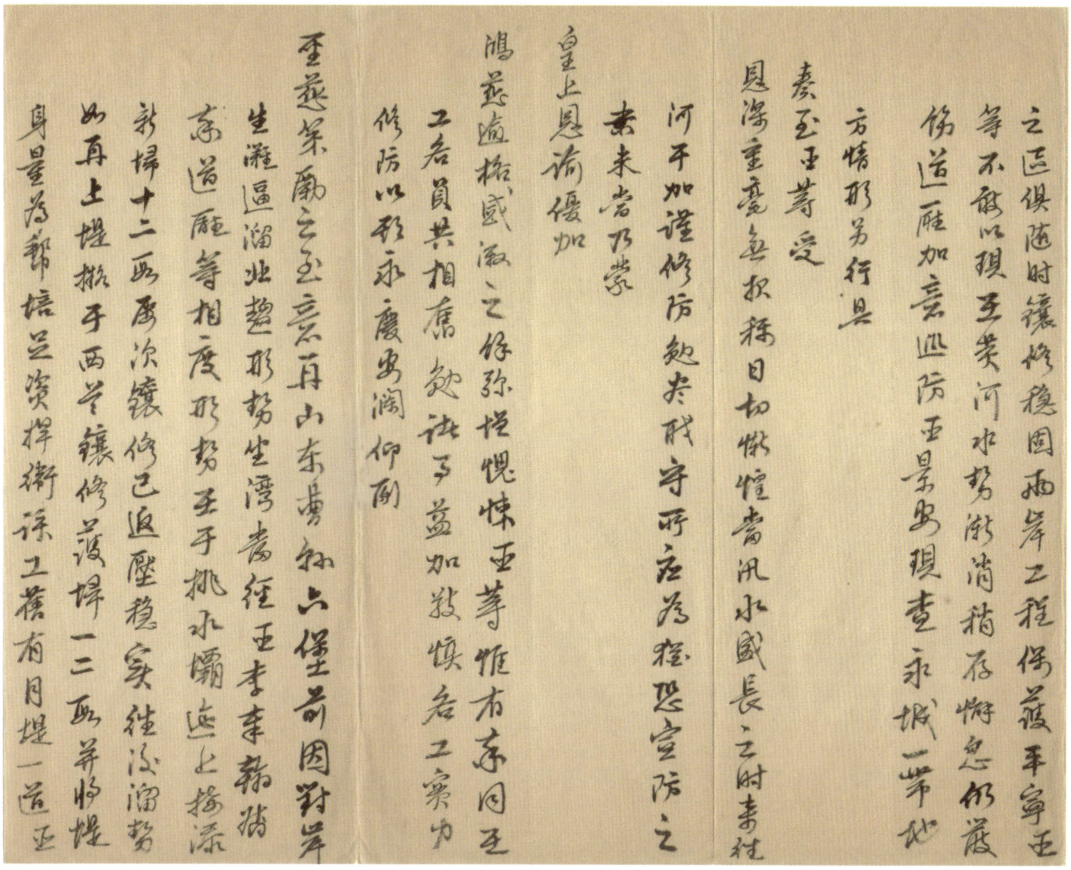
之區俱隨時鑲修穩固兩岸工程保護平穩臣
等不敢以現在黄河水勢漸消稍存懈怠仍嚴
飭道廳加意巡防至景安現查永城一帶地
方情形另行具
奏至臣等受
恩深重毫無報稱日切悚惶當汛水盛長之時未往
河干加謹修防勉盡職守所應為猶恐宣防之
素未嫻乃蒙
皇上恩諭優加
鴻慈逾格感激之餘彌增愧悚臣等惟有率同在
工各員共相虔勉諄飭益加敬慎各工實力
修防以冀永慶安瀾仰酬
聖慈策勵之至意再山東曹汛六堡前因對岸
生灘逼溜北趨形勢生灣當經臣李奉翰飭
該道廳等相度形勢在于挑水壩迤上接添
新埽十二段屢次鑲修已臻壓穩實往溜勢
如再上提擬于西首鑲修護埽一二段並將堤
身量為幫培以資捍衛該工舊有月堤一道在

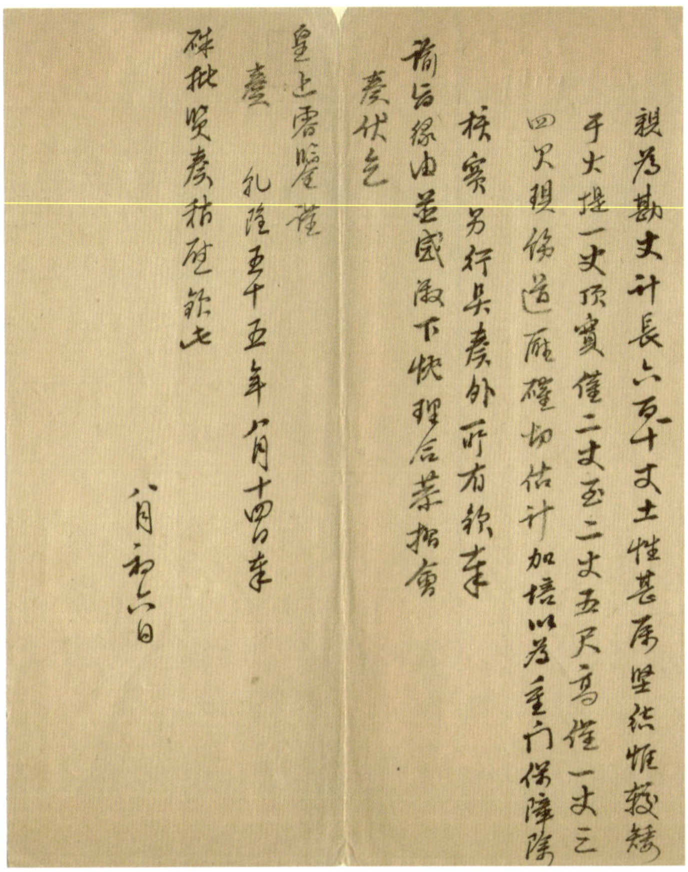
親爲勘丈，計長六百七十丈，土性甚屬堅結，惟較緩于大堤一丈，頂寬僅二丈至二丈五尺，高僅一丈三四尺，現係逼臨緊切，估計加培，以爲重門保障，除核實另行具奏外，所有欽奉
諭旨緣由，並國敏下快理合恭摺
奏。伏乞
皇上睿鑒。謹
奏。　乾隆五十五年八月十四日奉
硃批：覽奏稍慰。欽此。
八月初六日

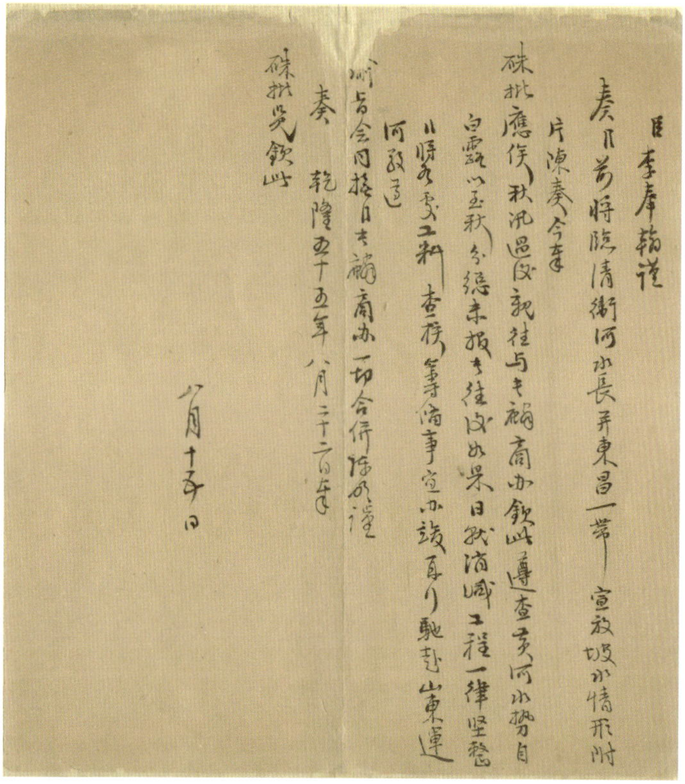

臣李奉翰謹
奏，為將豫省衛河水長并東昌一帶宣放坡水情形附
片陳奏。今年
硃批：應俟秋汛過後親往與富勒渾商辦。欽此。遵查豫省河水勢自
白露以至秋分總未報長，往攸如果日就消減，工程一律堅穩，
[illegible]工料，查核籌備事宜，必須再行馳赴山東運
河親查，
[illegible]會同接見富勒渾商辦一切，合併陳明謹
奏。乾隆五十五年八月二十二日奉
硃批：覽。欽此。
八月十五日

六四〇

李奉翰 秋分以後黃河水落工平情形

奏

九月初五日摺抄

河東河道總督臣李奉翰跪
奏爲秋分以後黃河水落工平情形仰祈
聖鑒事竊查黃河水勢消長尺寸各工搶護平穩緣由節
經具
奏在案今查各工自八月十五日秋分以後大河水勢總未加長
所有水落之處灣之變成南岸儀封三堡自第四埽以至
二十埽淘刷根底連次搶鑲新埽到底極爲穩固商
家寨三十四五等埽亦有蟄陷隨即趕鑲穩實其北
岸祠瓦廟工尾新建挑水壩二五道順門埽裹頭廂迎
俱經鑲幫堅整惟因溜勢上提又於三壩廂迎邊上接
鑲藏頭埽段並責擇要日與閑歸遠矣徽河北道陳
文緯從來各工督同廳營設法慎料理經目下時屆寒露
河水自不致再有驟長而兩岸新舊埽壩提經各工勤將
兵夫隨時收拾一律完整仰賴鍾單固不敢以水落工平稍

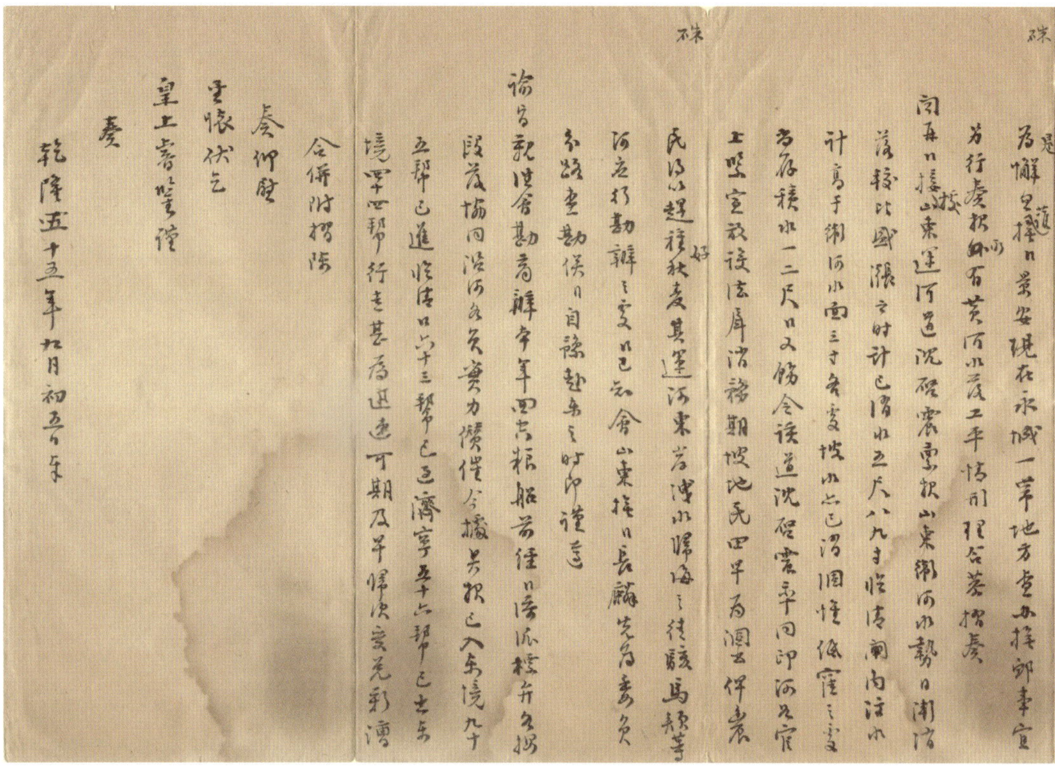

（硃）

為（是）[illegible]臣[illegible]日業安現在永城一帶地方查辦接印事宜

另行奏報外，茲黃河水落工平，情形理合繕摺奏

聞。再日據山東運河道沈啓震稟報山東衛河水勢日漸消

落，較比盛漲之時計已消水五尺八九寸，臨清閘內存水

計高于衛河水面三寸有零，該水已消，[illegible]情形係窪之處

尚存積水一二尺，臣又飭令該道沈啓震率同印河各官

上緊宣洩，設法疏消，務期被地民田早為涸出，俾農

民得以趕種秋麥。其運河東岸洩水歸海之徒駭、馬頰等（好）

（硃）

河應行勘辦之處，臣已知會山東撫臣長麟先為委員

分路查勘，俟臣自豫赴東之時，即行遵

諭旨親往會勘商辦。本年回空糧船前經臣將原檔並各

段查催，協同沿河文武實力攢催，今據各報已入東境九十

五幫，已進臨清口六十三幫，已過濟寧五十六幫，已出東

境四十[illegible]幫，行走甚為迅速，可期及早歸次，無誤新漕。

合併附摺陳

奏，仰慰

聖懷。伏乞

皇上睿鑒。謹

奏。

乾隆五十五年九月初五日

硃批覽奏欣慰 欽此

八月二十二日

六四一

奏
片一
李奉翰　黄河水消工穩
九月十二日

河東河道總督臣李奉翰跪
奏爲恭報黄河水消工穩仰祈
睿鑒事竊臣前將黄河水勢消減籌備工料事竣即赴東省料
理緣由奏蒙
聖鑒嗣因秋分後水落工平於八月二十六日恭摺具
奏在案今自九月初一日寒露以後各廳又報陷水五六寸至一尺不等
間有埽灣迎溜工段業經加鑲堅實仰邀
皇上福庇黄河上下河道深通暢達溜勢順軌安流各工俱極穩
固應備歲料臣已會同護理撫臣暨藩司等核定應辦數
目飭令道府照例委員採辦依限完工毋稍遲延臣查山東
曹濟等處水利河渠欽奉
諭旨每年霜降後會同山東撫臣查勘奏報臣先已飭令運河
道兗沂曹道等分路確查臣即於初四日起身從曹州城武
一帶將趙王丹宗等河按段查驗前赴運河勘辦工程另

行述時

奏報外所有黃河水清工程赴東料理緣由理合恭摺奏
聞伏乞
皇上聖鑒謹
奏　乾隆五十五年九月十六日奉
硃批欣慰覽之欽此

九月初五日

再臣由豫赴東經過考城曹州城武等處地方土脈均屬
深潤先種之麥俱經長發一二寸未種之地亦經翻犁趕種
秋麥民情俱極寧貼合併附摺陳明謹
奏
同日奉
硃批覽欽此

九月初五日

六四二

李奉翰 搶修工程

奏 交 ○

十月十九日

河東河道總督臣李奉翰跪

奏為循例具

奏仰祈

聖鑒事。竊查乾隆五十一年四月內經工部議奏豫省黄河搶修工程一項，酌照每年大汛後將該年秋汛險工若干丈及似險為平若干丈，按實專摺奏明，並造具圖冊報部，以憑查對工段丈尺核銷等因，奉

旨依議。欽此。欽遵歷年遵辦在案。今五十五年大汛已過，臣行據該道廳等將做過工程與上年所修段落分晰造冊呈送前來。臣查乾隆五十四年分豫省黄河南北兩岸搶修新舊埽工附風長一萬零七十六丈二尺，又另案搶辦埽工長一千四百卅四丈七尺，共長一萬一千五百一十丈九尺。今五十五年分各舊工內似險為平停止修理者計長四千一百二十六丈八尺，又南岸李盤莊上首并儀封三堡另案估辦工程長二百零七丈二尺，均核計搶修案內實修上年舊工七千一百七十六丈九尺。又因水長出槽漫至堤根，鑲做防風埽工，並緣溜勢上提下坐，搶鑲埽段，共計搶鑲工長二千八百八十二丈一尺。目於大汛時往來各工隨時查勘，皆係實在搶修之工。間於附風事畢、

臣又復親赴各工，帶同委員挨工逐一查丈，該道廳等所報工段均屬

符合。臣復按冊確核，與上年搶修工段比較，現在有減無增。

除飭該道造具細冊繪圖貼說送部查對外，所有本年搶修工段

丈尺理合會同河南撫臣穆和藺循例恭摺奏

聞，伏乞

皇上睿鑒。謹

奏。　乾隆五十五年十月十九日奉

硃批：該部知道。欽此。

十二日

奏

孫士毅等 查辦灘地情形

十二月初三日

兩江總督臣孫士毅、江南總河臣蘭第錫跪

奏爲敬陳感悚下忱並遵

旨查辦灘地緣由恭摺叩謝

主恩事。竊臣等接准部咨欽奉

上諭：本年夏間黃水盛漲，將王平莊民堰漫塌，冲刷溝槽，由毛城

鋪滚水壩下注洪河，以致永城、宿州、靈璧等處田廬間被淹浸

等因。臣等跪誦之下，仰蒙

皇上明切訓示，不禁感悚交縈。伏念本年王平莊民堰漫缺

無刻不上厪

宸衷。臣等在工督辦堵築事宜，自應將一切情形詳晰具

奏。乃因相沿謬見，將王平莊稱爲堤外大灘

聖慈指出堤內堤外，総以河身爲主，方悟前此所稱內外實屬牽

混倒置以致

奏報不能明晰，種種糊塗錯謬，咎實難辭。復蒙

皇上天高地厚之恩，僅將議處撤回，不復治以應得之罪。似此

恩施之已曲予矜全，感激涕零，實難自已。臣等嗣後惟當隨事

隨時核實辦理，再不敢稍有率混，上負

鴻慈。至堤內河灘不許民間再有侵佔，其現在村庄戶口先經

臣等遵奉

諭旨嚴飭道府廳縣等官逐一清釐履勘，造冊通詳。前據道

聖訓復催令各地方官將勘過堤內河灘村莊房屋速即造具

細冊，由臣等核明咨部查核。嗣後如有遷去人戶，即於冊內

刪除，以杜影射。臣等仍不時嚴加稽察，隨處抽查，既不令再

有侵佔，亦不致稍有擾累，以冀仰副我

聖主軫念河防民生之至意。所有臣等感悚下忱及遵

旨查辦緣由，理合恭摺奏覆，叩謝

主恩。伏乞

皇上睿鑒。謹

奏。

乾隆五十五年十二月初三日奏

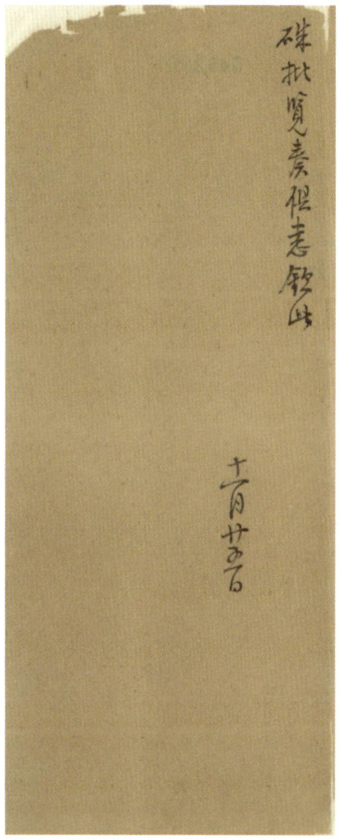
硃批覽奏俱悉欽此

十月廿五日

六四四

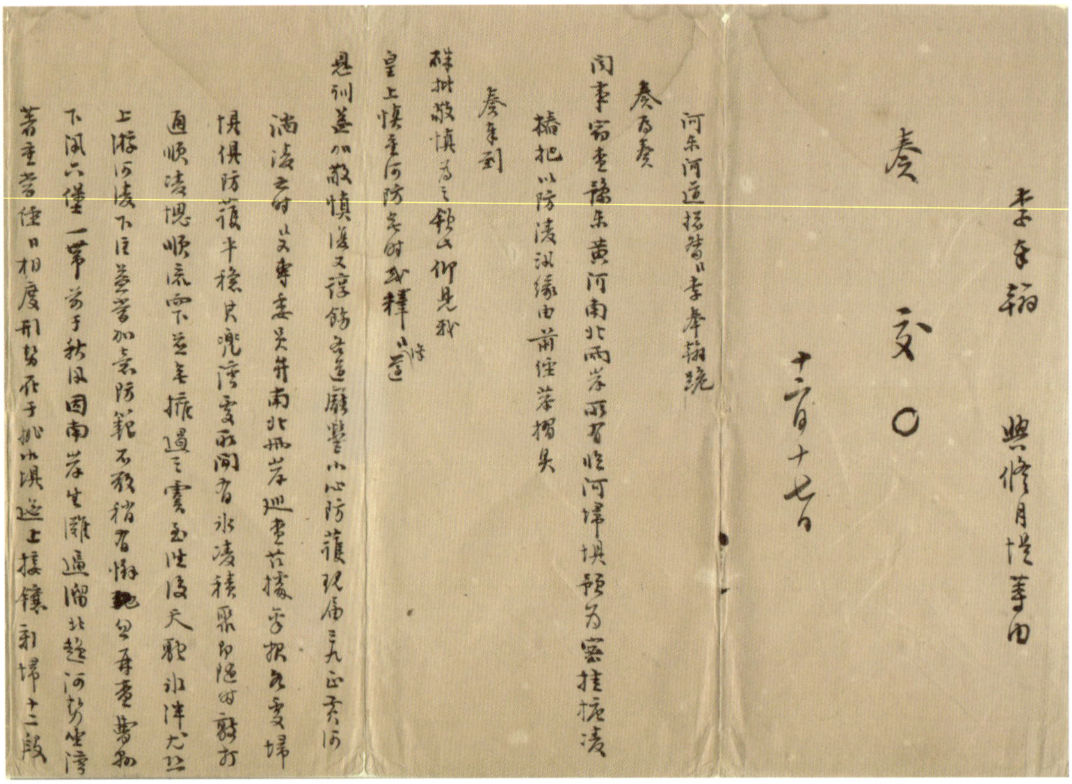

李奉翰　與修月摺事由

奏　交〇　十二月十七日

河東河道總督臣李奉翰跪

奏爲奏

聞事。竊查豫東黄河南北兩岸所有臨河埽埧頭爲要，挂柳凌

橋把以防凌汛，緣由前經恭摺具

奏，奉到

硃批：敬慎爲之。欽此。仰見我

皇上慎重河防無時或釋之至意。

恩訓，益加敬慎，復又嚴飭各道廳營小心防護。現届三九正當河

凍凌汛之時，臣專委員弁南北兩岸巡查，並據各探報及委員埽

埧俱防護平穩。且恐河凍之際向有冰凌積聚，即隨時疏打

通順，凌塊順流而下，並無擁遏之虞。至性復天寒，冰凍尤恐

上游河凌下注，益當加意防範，不敢稍有懈弛。且本年豫東

下風六堡一帶，前于秋汛因南岸生灘，逼溜北趨，河勢坐灣

著重，當經日相度形勢，在于北岸埧上接鑲新埽十二段

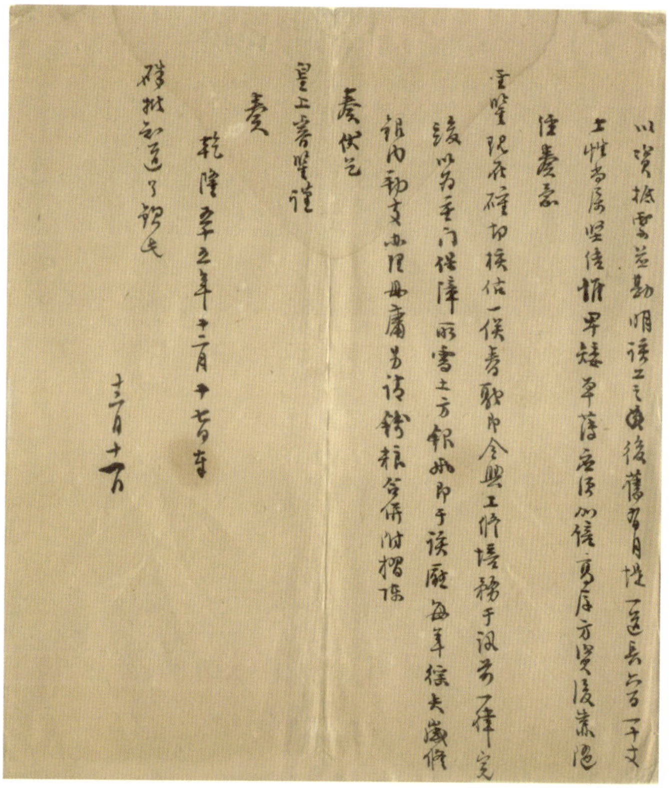
以資抵禦。並勘明該工之東後舊有月堤一道，長六百一十丈，
土性尚屬堅結，惟界牆單薄，應請加幫高厚，方資後患永除。
謹奏。
聖鑒。現在確切核估，一俟奏明，即令興工修培，務于汛前一律完
竣，以爲重門保障。所需土方銀兩，即于該廳每年額大歲修
銀內動支，亦應毋庸另請錢糧。合併附摺陳
奏。伏乞
皇上睿鑒。謹
奏。
乾隆五十五年十二月十七日奉
硃批：知道了。欽此。
十二月十六

六四五

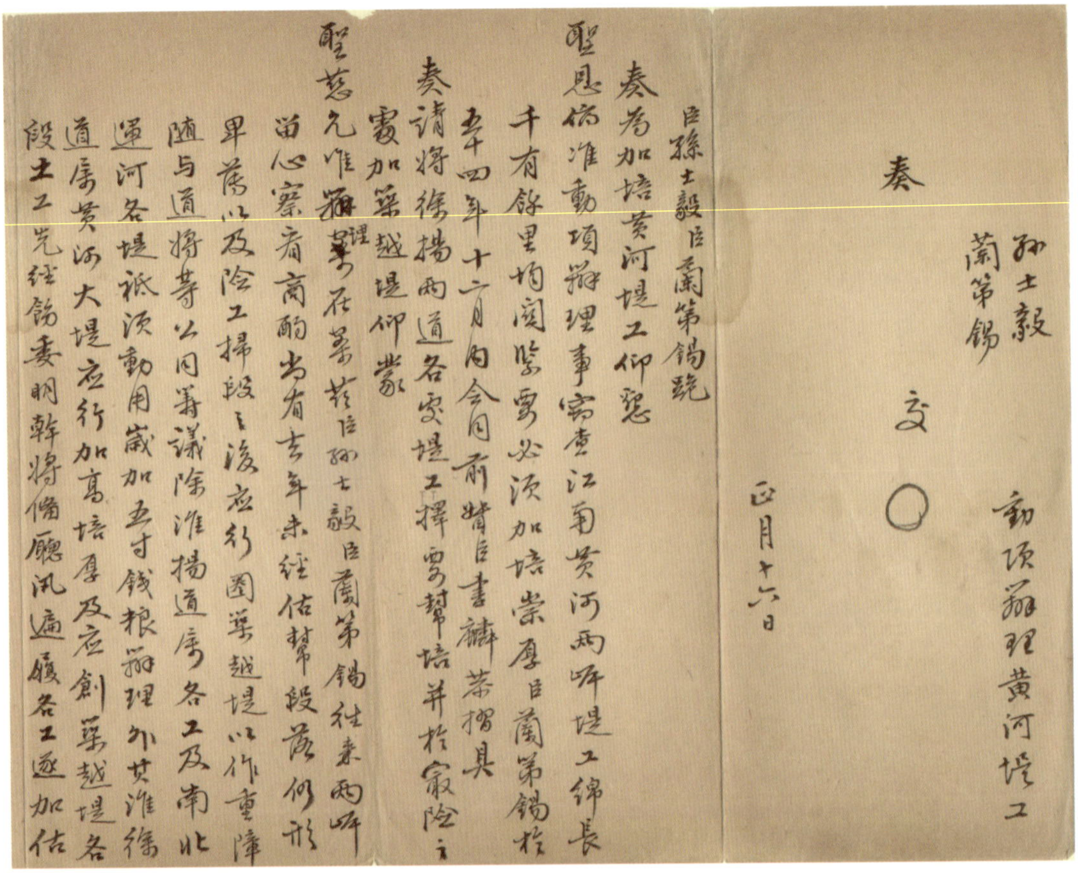

奏

孫士毅
蘭第錫

動項辦理黄河堤工

交

正月十六日

臣孫士毅、臣蘭第錫跪
奏爲加培黄河堤工仰懇
聖恩俯准動項辦理事。竊查江南黄河兩岸堤工綿長
千有餘里，均關緊要，必須加培崇厚。臣蘭第錫於
五十四年十二月內會同前督臣書麟恭摺具
奏，請將徐揚兩道各要堤工擇要幫培，并於最險之
處加築越堤，仰蒙
聖慈允准。辦理在案。茲臣孫士毅、臣蘭第錫往來兩岸
留心察看，商酌尚有去年未經估幫段落，何形
卑薄，以及險工埽段之後應行圈築越堤以作重障，
隨與道將等公同籌議，除淮揚道屬各工及南北
運河各堤祗須動用歲加五寸錢糧辦理外，其淮徐
道屬黄河大堤應行加高培厚，及應創築越堤各
段土工，先經飭委明幹將備廳汛遍履各工，逐加估

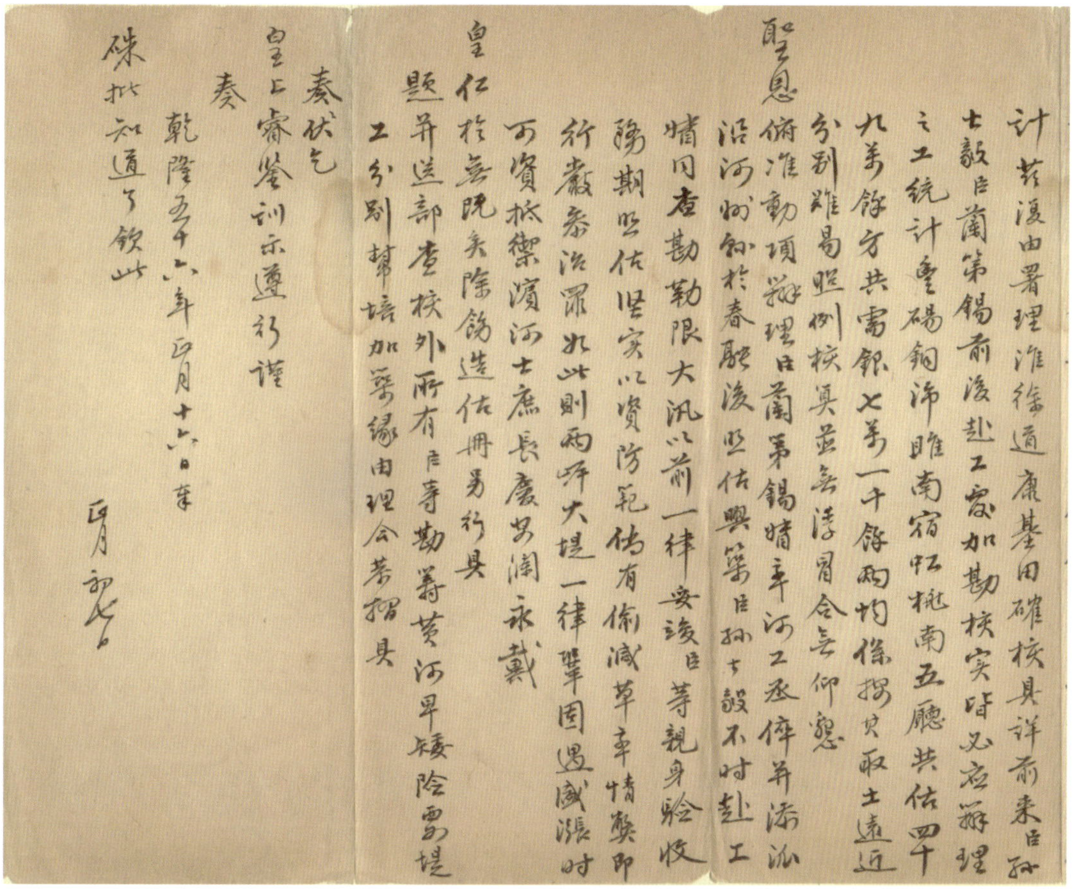

計茲復由署理淮徐道康基田確核具詳前來臣孫
士毅臣蘭第錫前後赴工覆加勘核實皆必應辦理
之工統計豐碭銅沛睢南宿虹桃南五廳共估四十
九萬餘方共需銀七萬一千餘兩均係按照取土遠近
分別難易照例核算並無浮冒合無仰懇
聖恩俯准動項辦理臣蘭第錫曉諭河工丞倅并諸汛
沿河州縣於春融後照估興築臣孫士毅不時赴工
督同查勘勒限大汛以前一律妥竣臣等親身驗收
務期照估堅實以資防範倘有偷減草率情弊即
行嚴參治罪如此則兩岸大堤一律鞏固遇盛漲時
可資抵禦濱河士庶長慶安瀾永戴
皇仁於無既矣除飭造估冊另行具
題并送部查核外所有臣等勘籌黃河卑矮險要堤
工分別幫培加築緣由理合恭摺具
奏伏乞
皇上睿鑒訓示遵行謹
奏
乾隆五十六年正月十六日奉
硃批知道了欽此
正月初七日

六四六

奏

河東河道總督臣李秉衡跪

奏為查勘黃河水勢工程平穩情形仰祈

聖鑒事竊臣料理運河水勢充裕督催南糧北上并

專委標員押送首帮催出東境各緣由節經具

奏在案查清明起二十日内為桃汛之期臣由曹

單一帶至河南巡防所有南北兩岸臨黃埽壩

各工臣先經飭令道廳等加謹修防認真辦理

今臣逐工履勘查丈復加核實總以料不虛糜

工歸堅固慎重春修於桃汛之始撙節料物為

伏秋之用至近日黃河水勢隨長隨消現在僅

存長水一尺二三寸大溜行走中泓暢達下注

順軌安流洵足仰慰

聖懷臣嚴飭文武各員處處小心防範時時切實稽查不敢以桃汛水消迅速稍存大意再臣自東至豫經過地方因連得膏雨普沾土脈滋潤麥苗長發青葱高粱黍穀等項亦次第播種民情極為寧貼合併陳

奏伏乞

皇上睿鑒謹

奏

欣慰之至

嘉慶元年三月　初八　日

六四七

奏

漕運總督臣管幹貞跪

奏為二進幫船全渡黃河浙江幫全過鎮江江西船聯絡入口情形仰祈

聖鑒事本年江南雨水調勻松江尾船金山幫過淮以前預遣備弁分提浙江江西軍船每遇東南風瓜洲陞旗京口即可順渡如轉西北風酌量令大江行走各船帶帆東下三月二十一日浙江二十一幫渡江已竣現於二十五日銜盤過淮江西入口各船截至是日已有四幫聯絡前進餘船令酌量風色慎重保護進口無踈無遲已經過淮船魚貫北行黃河口於本月二十三日已渡過二進尾船三進寧波後等幫跟接行

走總令於遄速中益加妥慎臣每日乘座小舟
上下照料白糧船米均已全過淮安米色乾浄
米質亦好春令尚未發熱兩岸麥田緑縟長發
米價平減所有浙幫過江全竣二進全數渡河
情形理合具
奏伏祈
聖主睿鑒謹
奏

知道了

嘉慶元年三月　廿五　日

六四八

奏

河東河道總督臣李奉翰跪

奏為奏

聞事竊查直隸山西官兵前赴軍營并南陽一帶邊

界寧謐各緣由奏蒙

聖鑒在案查提臣慶成鎮臣富成統領官兵於四月

二十六二十八日在利河口等處連得勝仗軍

威益壯官兵乘勝分路搜勦現在呂堰驛一帶

肅清大路疏通賊俱竄入雙溝聚集一處洵如

釜底遊魂易於殲除淨盡並蒙

諭旨令撫臣景安回駐南陽彈壓不必深入楚境仰

見

聖明洞燭情形指授機要撫臣景安自更得有遵循

且慶成等自北而南進勦賊匪後路益得聲援
策應現在將軍恒瑞都統永保統兵自南而北
圍勦夾擊定可及早蕩平仰慰
宵旰至於開封一帶五月初一初四初八等日連得
雨澤秋禾益資長發民情極爲安貼黄河各工
自四月二十八九等日報長水一尺一二寸之
後連日遞有增長昨據開歸道馬慧裕禀稱虞
城縣十七堡三壩迤東近因河勢趨注緊逼堤
根應於埽尾接鑲新埽五段以資保護又據兖
沂曹道孫星衍詳稱曹縣下汛三堡舊有埽工
自五十六年溜勢開行淤閉之後迄今未曾修
做兹該工第三埽至六埽均已著溜舊埽朽腐
難資抵禦應行補鑲新埽四段並於工尾鑲做
裹頭藉以裹護等因臣查此二處工段均在下
游緊要之處前經臣履工查勘之時相度形勢
已令備貯料物預爲防範今既著溜自應鑲修
堅固以防大汛臣即飭令各該道督飭廳營撙
節妥辦臣將協防汴城之河標兵丁五百名諭

令副將遊擊備弁等嚴行管領實力操練加謹
巡防臣先赴附近之蘭陽一帶查看工程南北
往来隨時策應并派委効力人員分赴各工協
力巡防臣隨後前往下游勘查料理總以實力
修守工固瀾安仰副
聖主慎重河防之至意理合恭摺具
奏伏乞
皇上睿鑒謹
奏
知道了
嘉慶元年五月 十一 日

再臣現准巡漕臣慶㤈札會本年重運江西尾
船贛州幫於五月初二日行抵黃林莊統計南
糧八十七幫全入東境臣查嶧縣八閘一帶地
勢建瓴臣先經札飭運河道策丹於尾船挽進
臺莊後每過一閘即將該閘下板擎托以平溜
勢俾各幫穩速遄行一面將南旺分水口蜀山
湖之利運等閘相機宣放兼濟南北一俟尾幫
儹過分水口轉入下水即將寺前閘量為閉板
逼水北注以利船行現據具報已過濟寧六十
八幫已出臨清口五十一幫已出東境四十六
幫現經漕臣管幹貞押尾儹行北上早達
天庾合併陳
奏仰慰
聖懷伏乞
睿鑒謹
奏
好知道了

六四九

奏

河東河道總督臣李奉翰跪

奏為黃河水勢工程平穩情形仰祈
聖鑒事竊查五月初旬連得雨澤地方寧貼并赴工
巡勘緣由前經具
奏在案臣於十五日自汴城起身由祥符陳留蘭
陽以至儀封一帶查勘堤埽工程均屬堅整穩
固十五十六十七等日沿河地方復又得雨三
四寸所有已種高粱旱穀棉花等項俱經長發
並將收過二麥之地耕種晚秋民情頗為豫悅
雨後臣復赴工查看凡臨黃埽面及堤頂堤坡
並無雨淋水溝俱極堅實足禦大汛所有按堡
派定弁目兵夫亦皆齊集臣隨處飭令小心防

守時加慎重十七十八等日長水一尺五六寸旋見消退臣察看中泓大溜流行迅速暢達下注當此水未出槽之時兩岸灘崖正可東溜刷沙淘深河底將来伏秋水勢堪資容納臣往来河干目睹黄流順軌農民安業洵堪上慰

聖懷再臣接據藩司吴璥禀稱五月十六日大兵會勦於雙溝以南之張家集官兵奮勇鎗炮齊發自寅至巳殺死賊匪男婦二千餘人生擒數十人現在乘勝追往棗陽一路搜勦餘匪以期盡絶根株等語（朱批：但尚未見生擒首逆之信仍未全勝）臣查楚匪滋擾月前侵及豫界之鄧州新野等處仰冡

聖明指示處處防範綦嚴隨時堵勦豫界肅清旋即疏通呂堰驛大路直達雙溝令於迤南之張家集痛加殲勦追捕遺孽即日定可蕩平上抒

宵旰臣將南岸防守事宜料理完備前赴北岸巡防再往下游曹單等處查勘一切務期豫東河防咸臻鞏固普慶平成所有五月中旬工程水勢情形理合恭摺具

奏伏乞

皇上睿鑒謹

奏

欣慰之至

嘉慶元年五月　二十一　日

六五〇

奏

江蘇巡撫臣費淳跪

奏爲奏

聞事竊臣於七月初七日接准河督臣蘭第錫咨會豐北廳所屬之六堡地方黄河漲溢大堤漫塌口門五十丈水由豐沛二縣之清水食城等河散漫而下附近居民先已移住高阜並無損傷惟地畝不無被淹囑臣赴工幫同催辦料物以期迅速堵竣等因臣查本年六月中旬以後徐州府屬據報得雨稍多兼之上游黄水漲溢以致大堤漫塌口門現需購料堵築刻不容緩而該處居民雖經移住高阜人口不致損傷但田廬猝被水淹小民口食無資應先察看情形酌

量撫卹並勘明被淹田畝分别輕重辦理臣即於初八日自蘇起程星夜馳赴該處帮同蘭第錫督催料物迅速堵築防護一面親往被淹處所逐一查勘先行撫卹俾被水窮黎無致失所以仰副
聖主保惠黎元之至意所有臣自蘇起程緣由理合恭摺由驛具
奏伏祈
皇上睿鑒謹
奏

另有旨

嘉慶元年七月　初八　日

六五一

奏

河東河道總督臣李奉翰跪

奏為時逾秋分黃河水消工穩并運河回空糧艘

遄行情形仰祈

聖鑒事竊查白露水勢安瀾前經臣恭摺具奏欽奉

恩批在案茲查沁河之水自七月下旬至今有消無

長黃河各工於八月十五十六日長水三尺二

三寸至四尺五六寸十七日以後旋即消落現

在僅存長水二尺七八寸水落歸槽安流順軌

溜勢漸綿往後可無暴漲之虞伏念六七月間

沁黃並漲之時拍岸盈灘幸賴

聖主鴻福要工得以化險為平迄今猶深感悚臣切

諭在工文武各員仍小心敬慎實力防守不得

以時近霜降稍存大意再臣往來沿河地方見
田禾已經刈穫登場秋收豐盛比戶盈寧近日
又復得有雨澤處處得以翻犁種麥民情甚屬
安恬撫臣景安已回駐豫疆凡豫楚接壤之處
防範撫綏諸臻寧謐所有前派汴城協防之河
標兵丁臣飭將備等時加訓練操演隨同城守
尉索清帶領官兵勤慎巡防統俟撫臣酌量可
以掣回之時再令旋東其山東曹單二縣臨河
渡口前派河標弁兵五十名協同曹州營巡查
數月以來極為寧靜現在無須多人協防已飭
令各回本汛催儹糧船臣現赴蘭考曹單各工
查勘前往運河南陽夏鎮韓莊等處督飭道廳
分投料理務期回空糧艘穩速南下前據運河
道具報江西尾幫於八月初十日入德州東境
後一路遄行無滯業經全過濟寧計八十七幫已
出臺莊東境四十三幫臣復飭令壯行催漕各
員跟幫往南協力儹催務於迅速之中倍加慎
重察看風色小心護引俾各幫安穩南下早歸

水次以仰副
聖主利運速漕重廑河防之至意理合繕摺具
奏伏乞
皇上睿鑒謹
奏

已奏俱悉

嘉慶元年八月　二十九　日

六五二

奏

臣蘇凌阿臣蘭第錫臣康基田跪

奏為欽遵

諭旨查明黃河積水並豐汎漫口壩工進占情形恭

摺覆

奏仰祈

聖鑒事竊臣等承准大學士伯和珅字寄嘉慶元年

八月二十日奉

上諭蘇凌阿等奏趕緊堵築漫工籌辦宣洩各情形

一摺閱圖內黃水漫口處所正河業已斷流惟臨

黃壩顧家莊二處因挑渠宣洩運河之水入黃是

以黃河正身內俱有清水但利運閘以上至漫口

以下現俱斷流並無他水引入何以圖內於此處

為妥善所有壩前舊大河受淤較厚之處亟應勘
估疏通其間工段高仰地方亦須一律挑挖深通
以便壩工收窄時啟放引河俾正溜東注不致稍
有阻滯所築挑水壩亦已做成二十丈引河現已
挑有四成俟挑至六七成時即當晝夜進占逼溜
全歸引河使金門不致着重堵合更為得力並著

該督等於逼溜歸入引河時是否形勢順利掣溜
約有幾分之處先行迅速具奏此時已過秋分水
勢自必日漸消退而豫東兩省協濟稭料又已陸
續趕運到工該督等惟當尅期儧辦務於霜降前
合龍毋得稍有遲緩為要又另片稱康基田熟悉
河工懇請暫留在工幫同儧辦以冀及早完竣等

語山東魚臺等各州縣被水業經伊江阿督率委
員妥為經理而豐汛漫口工程浩大尤關緊要自
應仍令康基田在彼幫辦如該藩司尚在工所則
已若已起身回東於何處接奉此旨即著於該處
回赴豐汛工次幫同蘇凌阿等上緊妥辦以副委
任將此由五百里傳諭知之欽此欽遵臣等伏查

豐汛漫口兩壩並挑水壩做成丈尺引河挑挖
分數情形業經節次恭摺
奏明在案查漫口正河以下至張王莊黃河斷流
以後已成乾河停淤較厚前已
奏明挑挖其自張王莊以下至利運閘以上低窪
處所本有積存黃水七八月間又兼雨水停積
河内俱有清水淺深不一前恐微湖受淤並將
徐城子房山開挖引渠引水入黃暢流東注是
以圖内繪具青色未經詳細聲明以致上煩
垂詢臣等不勝惶悚至壩前正河内受淤較厚現在
嚴催趕辦加緊挑挖深通引溜東注形勢頗為
順利俟開放時再將掣溜歸舊情形馳奏以慰
聖懷壓注自八月二十九日至九月初三日挑水壩
又做成五丈連前共四十五丈引河現已挑有
六成兩壩連日進占東壩又做成五丈連前共
長三十丈西壩又做成五丈連前共長二十七
丈壩前水勢漸深豐汛土性浮鬆與豫省情形
相同壩工追壓柴土層數較多臣等不敢稍為

草率多用繩柣騎馬慎重辦理務令步步穩實

總要萬分之萬分謹慎以期一切合龍否

前進以冀尅期合龍臣蘇凌阿臣蘭第錫因工

程緊要前經

奏明留臣康基田在工幫同儹辦是以未回東省

現在幫同妥速趕辦及早蕆功仰副

聖主諄切告誡之至意其十字河顧家莊子房山等

處洩水入黄處所一俟豐汛壩工口門收窄開

放引河時趕緊分投堵閉堅實慎重辦理斷不

敢稍有疎忽貽誤致干咎戾再邳宿運河近日

水勢平定回空漕船據報已入江境船五十餘

幫截至八月二十八日已渡黄船四十二幫行

走甚為迅速所有現在堵築壩工進占丈尺情

形理合繕摺由驛具

奏并將

硃筆標示原圖另加貼説呈繳軍機處備查伏祈

皇上睿鑒謹

奏

知道了

嘉慶元年九月　初四　日

六五三

奏

河東河道總督臣李奉翰跪

奏為奏

聞事竊臣前將黄河水消工穩各緣由恭摺具

奏後即由蘭考曹單等處履工查勘所有李六口

曹縣三堡六堡臨黄埽壩各工出水均屬高厚

灘崖高出黄河水面四五六尺不等全河水落

歸槽順軌下注其單縣三十二堡日前堵截漫

灘之水攔禦東西進水溝槽築壩三道并圈堰

等工俱一律堅穩臣察看該工現今形勢應將

圈堰量加培厚并於堰工西首接至二十九堡

坐灣之處取直以順其勢東首接至山東界牌

禦其倒溝上漾之水將大小進水溝槽一併包

護在内以免漫灘著重現由司道確估核詳動
項辦理其餘大堤應須增培段落臣按工較量
另有旨
撙節核估即令於舖夫歲修項下辦理無庸另
請錢糧此臣查勘東省黄河新舊工程籌辦之
緣由也臣自單縣以至嘉祥濟寧一帶雖有被
水之處而一路經由高阜地方秋禾俱已收穫

登場翻犁種麥其先種之麥現已出土青葱惟
窪處間有積水尚可策馬行走其嘉祥縣城東
積水較深高粱收穫其餘雜糧被淹臣即乘坐
小船直至運河登岸由安居乘舟南下適撫臣
伊江阿正在河干督同道府各員分投查辦災
賑似此一州縣中一隅被水之區仰蒙

聖恩賞給口糧其房屋倒塌者並給修費災民餬口
有資棲身得所莫不感戴
皇仁周普民情極爲寧貼運河濟寧汛水勢本屬盈
堤拍岸先經臣飭令將汶水來源逼令全行壯
注由張秋東昌等處減水各閘壩入大清徒駭
等河歸海是以兩岸堤工得保穩固此時水已

漸消目覩商民船隻往來無阻此濟寧迤北運

好

河水勢情形也其濟寧之南棗林閘以下東西兩岸皆係臨湖今年夏秋雨水較多山泉旺發各湖存水本屬充盈加以江南豐汛漫溢之水源源下注日有增益其在運河東岸之獨山湖西岸之南陽昭陽微山等湖原有堤堰排樁碎石大石等工間隔今楊莊夏鎮彭口三閘上下間段漫水尚有堤高水面之處其餘已無崖岸前經飭令運河道萊丹率領廳營不分官堤民堰晝夜趕緊搶辦并捆紮埽由上加套枕竭力保護工程以通回空縴道嗣於八月初二三四等日大雨連宵水益漲盛不惟堤堰石工普律漫淹即搶辦之工又復漫水深至二三四尺不等各閘背上所加埽由亦並漫水沿河居民房

今消退否

舍并營汛閘官等公署多有漫淹倒卸正值糧艘盛行之時所賴運河兩岸密插標竿誌別湖河并按段安設水站自棗林以至韓莊共設十二撥每撥用大小船九隻招呼帮船節節導引

雖屢逢風信俱屬安穩其自韓莊以至臺莊堤
岸較高不過間有漫水之處糧船挽行尚易此
濟寧以南運河泇河二廳各工搶辦之後復經
漫水之原委也伏查四十六年青龍崗漫溢之
後是年水勢極大之日昭陽湖長至一丈七尺
三寸微山湖長至二丈四尺四寸今昭陽湖長
至一丈八尺四寸微山湖長至二丈四尺八寸
較四十六年之水更大糧幫涉險而行仰叨
神佑得以穩速南下現在尾幫已儹過韓莊即日便
可全出東境實賴
聖主鴻福凡漕河官弁俱同聲慶幸再查運泇二廳
漫水工段綿長此時回空已過若再於水中設
法搶辦不但簣土難求即椿埽亦不能著力縱
使勉強施工而兩面皆水秋風鼓盪其力甚猛
難以保護臣與撫臣伊江阿熟商暫為停辦今
聞江南豐工東西兩壩同時進占儹辦趕挑引
河即日工程告竣漫水來源既斷消退自可迅
速凡有濱湖臨運各工一經涸露臣與撫臣暨

司道等立即查明確實估計奏請
聖訓分委多員趕辦以備重運經臨此時固不敢徒
糜料
帑歸於無益將來亦不敢畏難遷就致悞要工至（是要緊）
差民船隻往來仍令插立標竿隨處引導以便
認河行走近日天晴氣爽水勢漸見平緩微山
湖水昨已消落二寸時近霜清往後自可日就
消減臣惟有隨時往來南北相度機宜妥為料
理以仰副
聖慈垂廑河漕之至意所有現在工程水勢情形理
合據實具
奏伏乞
皇上睿鑒謹
奏
已奏俱要妥為之

嘉慶元年九月 十三 日

六五四

奏

河東河道總督臣李奉翰跪

奏為欽奉
諭旨恭摺覆
奏仰祈
聖鑒事竊臣前奏黄運湖河水勢工程情形今於九
月二十二日由驛奉到
硃批覽奏俱悉餘有旨欽此并恭奉
上諭李奉翰奏濟寧迤北水已漸消商民船隻往來
無阻其濟寧之南棗林閘以下閘座縴道多被淹
漫正值糧艘盛行之時運河兩岸密插標竿派令
撥船按段導引雖屢逢風信俱屬安穩遄行現在
尾幫已儹過韓莊即日便可全出東境等語本年

漫水入運糧船涉險而行得以穩速南下皆仰賴
河神福佑殄去大藏香二十枝令李奉翰齎往敬謹
祀謝以昭
神貺至摺内所稱增培大堤段落一節治河之道本
以疏濬為上策不得已乃用增高培厚之計今漲
水未消固難以輕言疏濬但不籌久遠惟恃增培
為堵禦堤面日加進築恐河身亦日漸淤高今若
於堤内近河高灘處所取土以為增築堤工之用
則於培高之中即寓挑深之道庶為一舉兩得著
傳諭李奉翰留心酌辦勿任河員等貪近取便任
意於堤外取土總宜疏濬刷深為主不當僅恃加
高培厚方為妥協等因欽此敬捧到大藏香二十
枝仰見
聖主慎重河漕聿昭誠敬寅承
福佑倍肅明禋臣欽遵
諭旨謹齋藏香恭詣臨運
河神廟虔誠祀謝并分獻各廟以酬
神貺所有增培黄河單縣大堤段落仰蒙

聖明指示於河灘高處取土實為治河之扼要臣中

心感服莫可言宣遵即恭録

上諭分別咨行一體欽遵臣查黃河修培大堤工程

若於近堤取土恐致挖成順堤河形轉為堤工

之患臣嚴禁河員不許貪近取便茲蒙

訓諭詳明益當敬謹遵守現估單汛土工臣即督飭

該管道廳等勘明堤內近河高灘指定取土處

所令辦工之員取用務於培高之中即寓挑深

之道收一舉兩得之益以仰副

聖主念切河防之至意所有欽遵緣由理合恭摺覆

奏伏乞

皇上睿鑒謹

奏

（知道了）

嘉慶元年九月　二十四　日

再河工州同借補河内縣縣丞童亘係臣於五

十八年

計典案内卓薦經部推陞光祿寺署正前因河南撫

臣景安飭委該員署理臨漳縣知縣所有經手

事件甫經交代清楚尚未領咨查該員在工年

久熟諳河務辦事勤奮此時豐工正在需人臣

飭調該員來工暫留差遣以資駕輕就熟之益

一俟豐工告成即行給咨送部引

見可否留於河工補用之處出自

聖主天恩合併陳

奏伏乞

睿鑒訓示謹

奏

著照所請行該部知道

旨債築豐汛壩工趕挑引河情形前經會摺具
奏連日東西兩壩出占前進僅存口門寬十九丈
口門漸窄溜勢愈激臣與河臣蘭第錫督率將
弁務期步步穩實到底鞏固慎重辦理藩司康
基田上下督催引河即日挑竣相機開放掣溜
壩工加緊堵築定於二十外合龍仰慰
聖懷理合附摺奏
聞伏乞
睿鑒謹
奏

急盼
神佑合龍覽閱喜慰之至

六五五

奏

河東河道總督臣李奉翰跪

奏為豫東黃河凌汛工程穩固仰祈

聖鑒事竊查臨黃埽壩各工每當冬〻九俱掛搪凌椿板派撥弁兵小心防護前臣在豫時即令各工一體遵辦并親詣迎溜要工查看凡溜勢兆灣各埽壩均已密掛椿把并備鐵錘榔頭等件遇有冰凌聚集立即敲打開行無許壅積嗣臣來至江南豐汛督辦堵築工程復又嚴飭豫東兩岸道廳加謹防護茲據具報各工一律穩固其各州縣承辦歲料源源運交隨到隨收現已堆有成數臣又添委効力各員分赴各工查催監視堆垛并協防凌汛益昭慎重所有凌汛各工

穩固緣由理合恭摺具
奏仰慰
聖懷伏乞
皇上睿鑒謹
奏
覽奏欣慰

嘉慶元年十二月　十三　日

再河工州同借補河内縣縣丞童亘係臣於五
十八年
計典案内卓薦經部推陞光祿寺署正前因河南撫
臣景安飭委該員署理臨漳縣知縣所有經手
事件甫經交代清楚尚未領咨查該員在工年
久熟諳河務辦事勤奮此時豐工正在需人臣
飭調該員來工暫留差遣以資駕輕就熟之益
一俟豐工告成即行給咨送部引
見可否留於河工補用之處出自
聖主天恩合併陳
奏伏乞
睿鑒訓示謹
奏

着照所請行該部知道

查濬築豐汛壩工趕挑引河情形前經會摺具
奏連日東西兩壩出占前進僅存口門寬十九丈
口門漸窄溜勢愈激臣與河臣蘭第錫督率將
弁務期步步穩實到底牢固慎重辦理藩司康
基田上下督催引河即日挑竣相機開放掣溜
壩工加緊堵築定於二十外合龍仰慰
聖懷理合附摺奏
聞伏乞
睿鑒謹
奏

急盼神佑合龍覽圖喜慰之至

六五六

奏

河東河道總督臣李奉翰跪

奏爲奏

聞事竊查豫東黄河在江南上游前於正月中旬臣

留心稽察將商虞曹單以上各工水勢專委備

弁乘舟自上而下細加測量大河中泓深九尺

至一丈一二尺不等自豐工告成黄流全歸故

道之後上游各廳據報陸續消水一尺七八寸

流行暢順睢州商虞下游一帶大堤緊要工段

現據各該道估計詳報臣詳加酌核擇要飭令

乘時妥辦至單縣地方坐落北岸緊接江南豐

汛六堡工程尤關緊要所有單縣黄河大堤去

冬臣履工察勘自十四堡起至三十三堡止估

計帮培土工前經奏蒙
聖鑒經司道等遴委附近之濮州菏澤曹縣并該管
之單縣分段承修目下正當儹辦之時臣令護
兗沂曹道金之忠前往住工督辦總以層土層
硪夯築堅實工完之後臣即親往量驗簽試查
收務期堤工鞏固大汛漫灘之時足資抵禦保
衛民生以仰副
聖主慎重河防之至意所有黃河順軌安流現辦工
程情形理合恭摺具奏伏乞
皇上睿鑒謹
奏
好知道了
嘉慶二年二月 二十二 日

六五七

奏

河東河道總督臣李奉翰跪

奏為欽奉
上諭恭摺覆
奏仰祈
聖鑒事竊臣自豐工抵豫緣由於三月二十一日恭
摺具
奏在案茲於二十四日丑時奉到十九日
上諭令臣於查勘豐工完竣後即速赴開封襄許一
帶以資防遏等因欽此同日又奉到二十日
上諭李奉翰等奏會勘豐汛壩工穩固情形一摺覽
奏欣慰現在壩前積水漸次消涸續又澄淤二丈
一尺並將大堤補築完整接築挑水壩足資捍衛

所辦俱好昨因景安奏桐柏山分股賊匪竄入葉
縣地方該處與襄城許州毗連距省城甚近恐民
人不免稍有驚惶是以降旨令吳璥酌調河標兵
丁防堵並令李奉翰於查勘豐汛各工完竣後即
速赴開封襄許一帶以資督率鎮撫但竄入葉縣
之賊不過零星潰散餘匪現經景安由魯山趕回
截勦自無難剋日殲除著傳諭李奉翰即於途次
探聽如葉縣賊匪已經撲滅或又折回南竄則已
若賊匪尚在葉縣嵩縣一帶欲往北竄此時開封
省城祇有吳璥一人而景安相距較遠又不能兼
顧李奉翰竟當遵照昨旨即調河兵迅赴開封許
襄一帶以資防範殺賊以壯聲援更為有益將此
由六百里加緊諭令知之仍將葉縣賊匪現在竄
往何處及民情是否安貼情形加緊迅速覆奏以
慰廑注欽此仰見
聖主垂念地方河務無時不上廑
宵旰臣中心欽感莫可言宣伏查十九二十兩日奉
頒諭旨因馳遞徐州復行遞至開封是以藩司吳璥

先於二十二日奉到即經該司遵
旨商調河標附近營兵當查臣標兵丁原設在山東
濟寧一帶城汛分守除上年調撥来汴五百名
其餘不敷再調該司擬於就近之山東曹州直
隸廣平順德山西澤州均係與豫境毗連之處
可以附近調撥業經吳璥奏請
聖訓在案臣查頭二股賊匪竄往嵩縣盧氏內鄉一
帶總兵張文奇及慶成等先後帶兵前往追勦
其由桐柏竄入之後股賊匪現在撫臣景安同
興肇王文雄領兵在葉縣裕州一路迎勦截其
北竄並聞惠齡恒瑞等亦由桐柏追勦前来誠
如
聖諭不過潰散餘匪自可剋日殲除至於襄城許州
先已委員募集鄉勇防範扼要復經委令開歸
道馬慧裕前往密為稽查據稟該處防守甚嚴
民皆安堵開封省城附近各處居民安業市集
商販来往如常民情極為寧貼臣凛遵
恩訓實力訓練標兵督同藩司留心彈壓并差幹弁

前赴襄城迤南密探賊匪蹤跡如有應需應援

截勦之處自當隨時察看情形相機籌辦總以

不動聲色嚴防範而處以鎮靜壯聲威而不敢

矜張務冀早淨餘氛仰慰

宸廑所有奉到

諭旨欽遵辦理緣由理合恭摺覆

奏伏乞

皇上睿鑒謹

奏

嘉慶二年三月　二十五　日

再查黄河渡口係南北往来要津仍照上年將各處渡船歸併官渡口今臣密查孟津滎澤祥符蘭陽商邱等處官渡經廳縣營汛就近稽查遇有面生可疑之人留心盤詰甚為嚴密臣一面咨行山東撫臣暨兗沂曹道將曹單二縣渡口一體照辦以昭慎重合併陳

奏伏乞

睿鑒謹

奏

乙

六五八

奏

河東河道總督臣李奉翰跪

奏為奏

聞事竊查黃河桃汛長水全消前經具

奏在案四月十一十二等日黃河復長水一尺五

六寸不等旋即消落各工均屬穩固兩岸河灘

凡有窪形溝槽應築土格土壩之處臣先經酌

定丈尺飭令道廳並分派兵夫層層夯硪堅實

現在陸續據報完竣其南岸之商邱虞城北岸

之曹縣單縣毘連江境與豐工切近並將所築

土壩擇要鑲做防風預備水長漫灘之時藉以

抵禦保護堤根至豐工情形臣不時差員查看

壩前停淤日厚茲據淮徐道述德等稟稱四月

初旬探量壩前淤灘現高出水面五六寸灘面日漸淤寬遮護大壩金門十分鞏固引河較前塌寬溜勢東注極為暢順等因知蒙

聖慈垂廑合併奏

聞伏乞

皇上睿鑒謹

奏

欣慰覽之

嘉慶二年四月　二十八　日

六五九

奏

河東河道總督臣李奉翰跪

奏為查勘黃河水消工穩情形仰祈
聖鑒事竊臣前將運河大工應辦事宜酌定章程即
赴黃河防汛緣由恭摺具
奏在案臣由曹單商虞睢寧一帶逐工履勘循堤
而上凡春修土埽工程俱屬堅整查六月初旬
大河長水北岸自上北下北曹考南岸自上南
下南蘭儀睢寧等處俱據報陸續長水五尺六
七寸至七尺二三寸不等均未出槽漫灘四五
日內旋即消落現存長水三尺一二寸臣察看
大河溜勢下注情形循軌東流極為暢順是以
長水消退尚屬迅速至臨黃要工林立綿長之

處臣每到一工相度形勢將兜灣迎溜各段并
埽工挑護得力埽段擇其扼要鑲培高厚追壓
堅固以禦湍溜而資保護其兩岸長堤離河雖
有遠近之不同而一經水漲漫灘漾至堤根在
在均須防守臣已按段分派員弁節節防護嚴
飭該管道廳營汛晝夜往來實力梭織巡查於
周詳修守之中益加小心敬慎務期工固瀾安
以仰副
聖主垂廑河防之至意再臣自東至豫經過地方因
雨澤優渥各處高粱黍穀等項長發暢茂秋成
可卜豐稔景象恬熙民情均極豫悅合併奏慰
聖懷伏乞
皇上睿鑒謹
奏

欣慰覽之益加敬慎

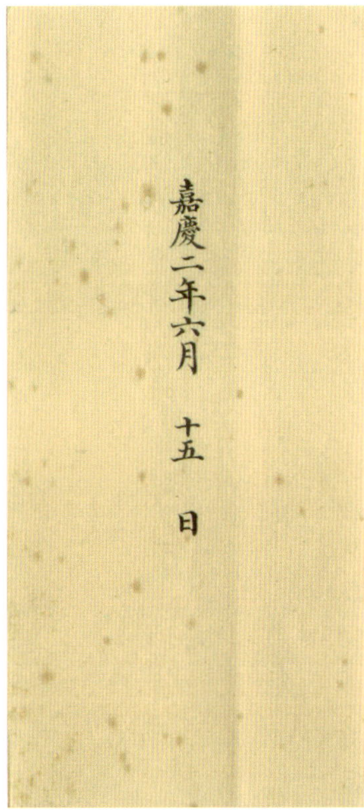

嘉慶二年六月　十五　日

奏

河東河道總督臣李奉翰跪

奏為循例奏

聞事竊臣案查工部議奏豫省黃河南北兩岸應需

辦料銀兩先於乾隆十年題准每年撥發額徵

河銀三萬六千餘兩撥補荒缺銀四萬九千餘

兩共銀八萬五千餘兩分給開歸河北二道預

備歲料在案嗣後南北兩岸預辦歲料如出原

題八萬五千餘兩之數應令該督等據實

奏明撥給等因奉

旨依議欽此欽遵辦理在案臣查此項歲料每年八

月新料登場之後乘時採購茲據河南開歸道

馬慧裕詳稱豫省黃河南岸埽壩各工林立所

有預備来年修防稭麻料物應發價銀除撥荒
缺等項外應請循例撥發河南藩庫銀七萬兩
以便及時採辦又據河北道蔡共武詳稱北岸
黄沁兩河各處工程均關緊要所備来年修工
各料應發價銀除分撥荒缺等項外請照例撥
發司庫銀三萬兩以資趕辦各等情臣伏查豫
省黄河兩岸應備来年稭麻等項臣前於巡勘
各工之時察看工程平險情形核定應辦料數
咨行知照由司道遵例分發沿河州縣承領自
行採買運工按例秤收如式堆垛以備来歲修
防之用所有開歸河北二道詳撥藩庫銀兩查
與向例相符應准其照數撥給理合循例會同
河南撫臣景安合詞恭摺具
奏伏乞
皇上睿鑒謹
奏

該部速議具奏

嘉慶二年八月二十四日

臣李奉翰謹

奏八月初四日於曹汛工次欽奉

上諭景安既赴襄陽豫省邊境亦不可無大員彈壓

此時已過白露河工安瀾李奉翰前在中州省城

防守亦能鎮静得宜李奉翰接奉此旨即馳赴豫

省南陽一帶邊境駐劄代為照料防範等因欽此

臣將漫口應辦事宜公同酌定章程交明撫臣

伊江阿康基田督率道府各員妥速辦理臣即

於初五日自曹汛工次起身馳赴南陽一帶照

料至藩司呉璥現已丁憂省城並無大員前經

臣於庽城工次

奏明飭令開歸道馬慧裕自庽城赴省照料今臣

前赴南陽必由汴城行走臣到彼將現辦軍需

等務如有應與司道商酌之處即面商妥籌臣

即由省馳赴南陽防範所有臣自曹縣工次起

身緣由理合具

奏再東三省頭起官兵已於七月二十六日由滎

澤口渡河前進其第二起官兵於二十八日已

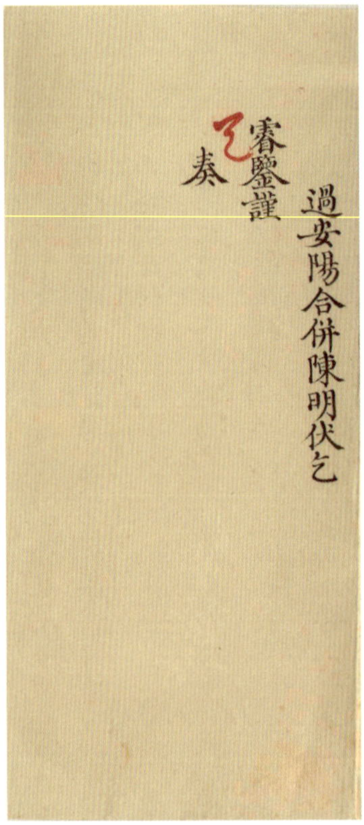
過安陽合併陳明伏乞
睿鑒謹
奏

六六一

奏

臣司馬騊臣景安臣伊江阿跪

奏為豫東黄河兩岸堤工单薄擇要估計增培以

禦汛漲仰祈

聖鑒事竊查上年秋汛黄水異漲拍岸盈灘兩岸堤

根受淤較厚灘面與堤頂相平之處甚多往年

伏秋大汛水勢盛漲之時河水出槽漫灘所賴

灘面廣衍低窪可以資其蕩漾今灘既淤高一

經漲水出槽勢難容納前經李奉翰於自豫順

勘各工情形摺内聲明應將黄河兩岸大堤加

培高厚以禦汛漲奏奉

硃批是欽此欽遵當即轉行遵照確估去後今據各

另有旨

道等擇要估計開摺呈送前来臣等查水勢異

漲本非常年所有之事然兩岸堤工必須高於
灘面方可以資攔束今灘面處處淤高間有與
堤頂相平之處若不趕緊加培大汛殊無所恃
惟在辦所當辦省所當省不使工員稍有浮冒
而應辦工内并須分别緩急以免動
帑過多茲按照上年盛漲水痕視其淤灘高下總
以堤高灘面水痕四五六尺為準臣等覆加確
核計曹單廳急修堤工銀九萬五千八百餘兩
商虞廳急修堤工銀九萬七千五百餘兩其黄
沁上北下北曹考上南下南蘭睢等廳地處上
游淤灘較淺共急次修堤工銀十五萬八千三
百餘兩現由藩司撥項擇其最要工段先行趕
辦其餘再為次第興修俱責成道府往来查催
統限大汛以前如式妥竣由臣等親往驗收務
期一律堅固俾資抵禦並可束水攻沙使河底
日漸刷深以免壅積之虞以仰副
聖主慎重河防之意再工次現有投效人員情愿出
資認辦前項工段臣等不敢壅於

上聞另摺奏請
聖訓所有現估增培土工緣由理合恭摺會
奏伏乞
皇上睿鑒訓示謹
奏

另有旨

嘉慶三年二月　二十七　日

六六二

奏

臣司馬騊臣景安臣伊江阿跪

奏為奏請

聖訓事竊查豫東黄河兩岸大堤應行加培善後工

程臣等現在確估另摺

奏請辦理茲有捐職同知程尚忠通判吴茂楠等

及雜職人員具呈請照上年運河投効人員認

辦工程之例情愿出資加培堤工等情臣等伏

查辦理曹工築壩挑河等項並各處被水之區

仰沐

聖恩普加賑恤費所不惜又何在此善後工程增培

大堤之費惟是兩岸工段綿長此時正當桃汛

轉瞬大汛經臨為期切近本管廳營應須修守

臨黄埽壩其地方官員又多委辦軍需差務勢
難再行派辦土工今投効人員既願認辦則衆
擎易舉自可尅期告竣工完之後即令照依黄
河堤工之例保固以專責成迨大汛水漲時有
此承辦多人節節廵防保護俾兩岸堤工更可
一律鞏固在承辦各員自顧責成辦理定能堅
實防守亦必不遺餘力實與河工大有裨益如
各員認辦工段與估需土方銀數足敷辦理即
可歸還司庫錢糧一槩無庸動
帑倘此外更有盈餘並可歸還曹工借動運工之
欵實為一舉數得但臣等未敢擅便理合據情
具
奏恭請
聖訓如蒙
俞允其出資認工一切事宜照依上年運河各員投
効之例辦理統歸山東河南兩藩司承辦以昭
慎重臣等因要工辦理需人投効各員情詞懇
切謹不揣冒昧會同恭摺具

奏是否可行伏乞

皇上睿鑒訓示謹

奏

嘉慶三年二月　二十七　日

六六三

奏

臣司馬騊臣伊江阿跪

奏為黄河兩岸緊要堤工修守需人恭懇

聖恩俯准就近酌撥運河投効人員辦理以重河防

事竊查黄河兩岸淤高堤工單薄前經臣等奏

請續收投効人員分段認辦荷蒙

恩准當即飭令具呈人員照依運河縴道之例呈繳

捐項正在飭司設局辦理今奉部臣行知

奏准暫開捐例各員志切急公俱各赴部投捐其

在外呈繳堤工修費者僅有佐雜二十一員臣等

查認辦黄河堤工先後遞呈者本有二百餘員

今既俱赴部報捐在内在外事屬一體自未便

阻其急公之念堤工投効應行停止惟此項工

程前經臣等

奏明擇其最要段落先動司庫銀兩發辦俟收有捐項歸款今在外捐項既已截數所有司庫墊款無從歸還而工段綿長亦在乏員修守臣等再四熟籌查上年運河投効人員因曹工漫溢縴道被淹不能即為興修各員呈繳捐項後因復不辭勞瘁多有赴曹工効力者臣等念其急公留在兩壩帮辦一切并差派引河查催工程察看其中年壯才明奮勤出力者頗不乏人今運河縴道辦理需時該員等未免賦閒應請將此項人員撥赴黃河承辦堤工較為妥速在要工既得乘時赶辦大汛并可責成防守司庫墊發銀兩亦可由運河道庫劃還歸款而運河縴道將來涸出興工時仍有未撥投効人員承辦不致缺乏如此一轉移間似屬兩有裨益臣等隨與各司道公同揀選得投効運河丞倅佐雜等官一百一十六員同現交黃河堤工修費之佐雜二十一員可敷修辦兩岸堤工並足以資分

防大汛以專責成至此項人員先已按照豫工
例加倍捐貲在案應俟堤工告竣防過大汛仍
飭遵照原奏部議令其赴部加捐分發銀兩臣
等於霜降後再行給咨送部引
見請
旨分發河南山東兩省河工地方差遣委用臣等因
要工需員分辦防守商籌意見相同謹會同河
南撫臣倭什布合詞恭摺具
奏是否有當伏乞
皇上睿鑒訓示其各員履歷幷承修工段現已分別
造冊咨送軍機處及吏部戸部工部備查合併
陳明謹
奏

軍機大臣會該部議奏

嘉慶三年四月　二十八　日

六六四

奏

河東河道總督臣司馬騊跪

奏為奏報南糧重運尾幫全抵濟寧北上臣

現赴豫省黄河防汛緣由仰祈

聖鑒事竊臣前在曹工將暫停辦理章程督同

在工人員佈置定局并將上游豫省黄河

兩岸工料事宜預飭各道廳籌辦妥備即

至運河會同巡漕并漕撫諸臣將重運漕

船設法催儹因南陽湖迤南至韓莊河湖

一片挽運稍艱凜遵節奉

聖諭指示妥為經理督令運河道策丹等倣照

四十六七年青龍崗漫水漕船經過情形

飭令各幫由湖坡行走較為捷便仍多備

縴船添設誌樁插立標記并於入湖出湖
處所專派諳練員弁分投照料慎重儹行
本年共計重運漕船六十九幫荷蒙
恩旨截留江西最後幫船漕米四十萬石以為
曹州濟寧等屬災地展賑之用計應留船
八幫零一十九隻其餘六十一幫從韓莊
由湖坡行至棗林閘下之新挑河仍歸運
河現已全行抵濟北上其濟寧迤北兩岸
縴道通行臨清閘外汶衛交滙之處向年
每患淤淺今歲汶水既旺而蜀山馬踏等
湖存蓄充裕次第宣放挹注北行足資浮
送計日可以全出東境不致遲悞漕臣富
綱巡漕臣鄧再馨現在督押尾幫前進臣
即於六月初六日自濟起身由曹工順勘
前赴豫省南北兩岸查驗工料督令道廳
營汛上下巡防務期處處料足工堅修防
周密豫工安瀾有慶曹工於秋汛後趕緊
妥辦仰慰

聖懷所有重運漕船全行抵濟穩速北上及臣

赴豫防汛緣由理合恭摺奏

聞伏乞

皇上睿鑒謹

奏

嘉慶三年六月　初六　日

欣慰之至另有旨

六六五

奏

河東河道總督臣司馬騊跪

奏為節逾白露豫省黄河水平工穩仰慰

聖懷事竊臣前將交秋後水勢工程情形繕摺

奏蒙

睿鑒嗣據各廳禀報水勢有長有消水長則上

提水落則掃灣下坐而秋水尤易淘刷埽

工不無蟄陷經臣與南北兩道分投查勘

督辦内上南下南睢寧商虞黄沁等廳工

程俱無更易下北廳屬銅瓦廂下壩月壩

中間賴有上秋補鑲新埽八段亦足資其

抵禦惟上北廳屬之祥符十二堡鑲修新

埽七段并曹考廳屬之李六口磨盤埽以

上順水壩以下掃灣即從前南堤改易北
堤之處補鑲新埽八十一丈蘭儀廳屬之
儀封七堡頭二三壩補鑲埽工十段儀睢
廳屬高家寨前經搶護平穩之後溜復下
移續又接鑲新埽與工尾挑壩接連鑲成
一律無虞再向裡卧今節逾白露水勢有
消無長南北兩岸臨黄埽工各高出水面
六七八尺不等即或秋深再加摟刷均足
以資捍衛洵屬瀾安工固足以上慰
聖懷至山東曹工叠奉
諭旨飭俟霜降後形勢大定即行興辦其應挑
引河須成建瓴就下之勢江境交李奉翰康
基田督辦東境交臣與伊江阿督辦各司其
事以專責成等因仰見
聖明訓示周詳無微不至臣具有天良敢不欽
遵實力辦理以圖稍贖前愆查築壩基址
及改挑引河頭應俟大河形勢定局會勘
興工其引河應先挑挖臣與撫臣伊江阿

前已委令署兖沂曹道徐端查勘抽溝掣
放清水此時豫省黄河各工可以放心臣
現將兩岸各工切囑各道廳營照舊巡防
勿稍懈忽臣即一路查勘前赴曹汛督同
各委員將引河積水全行掣盡逐細測量
確估以成建瓴之勢一俟撥項到日即行
興挑如挑至東省交界以下有高仰之處
即當知會江省挑挖亦不敢稍分畛域總
期將来掣溜東注不使稍有梗阻以仰副
聖主慎重要工殷殷
訓勉至意所有豫省黄河白露後瀾安工固情
形幷臣回赴曹汛勘辦引河緣由理合一
併恭摺奏
聞伏乞
皇上聖鑒謹
奏

嘉慶三年八月　初十　日

六六六

奏

臣李奉翰臣梁肯堂臣費淳跪

奏爲徐州府屬應兑漕糧因黄河尚難挽運仰懇
聖恩就近撥作賑需以省運費而裕民食事竊照徐
屬銅山等縣每年徵收漕糧向係雇船由黄河
運至宿遷之皂河水次兑交漕船跟幫北上前
年因豐工漫溢正河淺阻經陞任漕臣富綱會
同臣費淳請將銅山睢寧二縣徵存漕米五千
五百餘石
奏明停運在案上年徐屬輪兑漕糧未經徵兑本
年銅山睢寧蕭縣碭山等四縣熟田應徵帶徵
粟米共計四萬餘石業已開倉徵收例應起運
將來豫省睢工剋期堵合黄流自必順軌惟查

銅雎蕭碭等處漕糧向於初冬由黄河運送水
次恐上游漫工堵合後瞬屆凌汛大河舟楫難
行若改從陸運道里綿長徒滋煩費伏查徐屬
豐沛等縣被水貧民荷蒙
聖主鴻慈分别給賑今此項漕糧現既不能兑運合
無仰懇
天恩俯准將徐屬舊存及新收漕糧共四萬七千餘
石就近搭放賑糧即可於前撥賑銀内截放折
色將銀兩扣存報撥如此一轉移間不特陸運
煩費可以節省而徐屬積歉貧民得邀本折兼
放口食益資充裕亦於閭閻有裨臣等酌商意
見相同謹合詞恭摺具
奏伏乞
皇上睿鑒訓示謹
奏

知道了

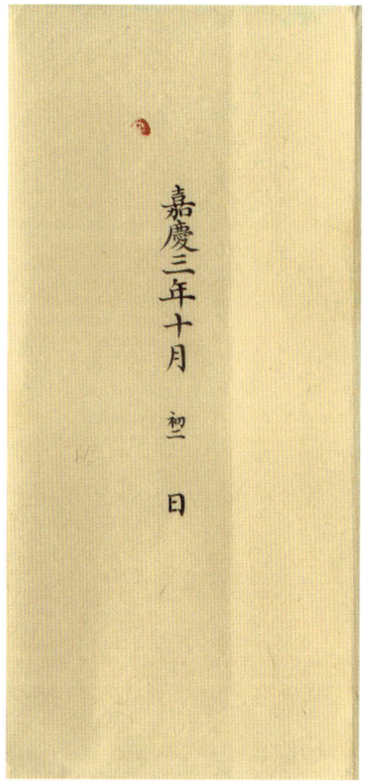

嘉慶三年十月 初二 日

六六七

奏

奴才王秉韜跪

奏爲恭報伏汛安瀾仰祈

聖鑒事竊奴才於六月十九日將雨後長水河堤穩

固情形欽奉

上諭專摺覆

奏在案茲於本月二十四日復據陝州呈報萬錦

灘又陡長水三尺二寸武陟縣具報沁河亦長

水二尺九寸統歸黃河洶湧下注旋據各廳稟

報二十三四等日各長水四尺三四七八寸不

等當即督同各道沿堤查勘內有上北河廳屬

之祥符魁星樓東挑壩河溜上提壩頭刷塌廂

做埽工四段長二十七丈四尺又戧壩空檔因

河溜圈注刷傷坍坦接做新埽六段長四十二
丈一尺以期挑護得力又下北河廳屬之銅瓦
廂二十四埽以上各舊埽久經淤閉令因溜勢
上提舊埽刷塌自十八埽起至二十三埽止補
做新埽六段長五十六丈以資抵禦仍飭該道
督同廳營搶修務使一律穩固所有各廳在工
文武員弁兵夫分段嚴守燈火輝煌達旦不息
仰賴
河神默佑
聖主洪福六月二十九日立秋水勢日漸消退各工
均極平穩奴才慶幸既深寅畏倍切兹伏汛雖
過秋汛正長且溜急沙湧防守尤當嚴密惟有
益矢敬誠董率所屬倍加小心晝夜防範務期
金堤鞏固普慶安瀾仰副
聖主廑念河防保衛民生至意再奴才起身赴工後
接據臨清州知州張光熙稟稱該管尖莊地方
於六月十四日河水漫溢約高六七丈淹及張
敬兩鄉並正北正西西北三路村莊等因當即

飛移山東巡撫惠齡查辦並飭運河道廳營汛小心防守去後六月二十六日接署下河通判沈惇彝等稟報衛河水勢共存長水一丈零七寸武城夏津一帶漫灘民堰處處險要工段內如甲馬營之大王廟前武城汛之清凉寺及本城真武廟西夏津汛之渡口驛萬家廠等處迎溜頂冲尤屬危險職等分投日夜搶修或就老堰加幫或另圈築月堰幸得一律穩固漕船行走迅速等因看來此次盛漲異常運河兩堤得保平穩該道廳營汛等尚屬奮勉出力合並陳明所有黃河伏汛安瀾並運河保固情形理合

恭摺奏

聞伏乞

皇上睿鑒謹

奏

敬慰之餘益深乾惕另有旨

嘉慶六年七月　初一　日

再奴才於五月二十八日差弁葉雲龍恭賫
奏報南糧重運全漕入東摺內欽奉
硃批近日渾河盛漲漫口四處東省河道情形若何
據實覆奏欽此因直省漫水過大葉雲龍迂廻繞
道行走直至六月二十八日始抵廟工遵查雨
後長水河堤穩固情形已於六月十九日遵
旨專摺覆
奏在案目下已屆秋令一切鞏固安瀾合並陳明

六六八

奏

臣貴淳臣吴璥跪

奏為立秋後黄河水勢復漲現已消落各工防護
平穩情形恭摺奏
聞仰祈
聖鑒事竊照江境伏汛安瀾臣等於七月初一日具
奏在案自六月二十九日立秋後接據豫省禀報
六月二十及二十二三等日萬錦灘黄水陡長
三尺沁河長水五尺五寸洛河於七月初四日
陡長水三尺滙流下注是以江境黄河於七月
初五日起至初八九等日王平莊邵工長水八
尺三寸及九尺二寸不等徐城外黄水同時驟
長誌樁連底水共存一丈八尺二寸滔滔東注

勢甚浩瀚下游各廳水勢亦陸續報長幸前次
伏汛所長之水已消落殆盡此次長水尚為容
納有地但恐此後舊水未消新水復至或有漲
滿之虞臣等因於七月初七日飭將蘇家山石
閘啟放由水線河循序減入中河以資分減並
督率道將等官分赴各工晝夜巡防徐城北岸
之陡山口子房山南岸之牛市裹堤及豐北廳
屬之潘家屯刁家集蕭南廳屬之田家樓郝家
集一帶此次漫灘水深至四五六尺不等幸大
堤已培築高寬足資抵禦間有順堤河形串注
堤根之處或紮枕搪護或酌做防風挑壩均不
致過於汕刷自初十日以後水漸消動現在邵
工已消水六尺二寸徐城外消水四尺睢宿運
下等廳河水亦以次減消工程一律平穩所有
天然閘西閘牆於嘉慶四年啟放時沖塌處所
早經補砌完竣今春臣等細加相度尚形單薄
復於閘牆雁翅之外鋪砌碎石攔護堅實並築
鉗口土壩用料盤裹以備放閘時水勢更有鉗

東現因察看大河之水尚可容納該閘仍未啟
放倘秋水續漲更大不得不熟籌分減再行酌
辦至於毛城鋪減壩上年冬間卲壩合龍後黄
水初歸故道臣等較量河底比毛城鋪高下懸
殊恐地勢建瓴易致掣溜是以公同商酌
奏請在於三壩集地方添做碎石壩一道以為層
層節宣之計迨本年桃汛後測量河底較前漸
次刷深而毛城鋪石壩業經酌為加高補砌石
底俱用灰漿灌足將來啟放時不致冲深吸溜
復於毛城鋪迤東補還舊口門處所將附近大
堤之王家屯魏家寨舊有土堰補築寬厚以為
外護並將各堤堰跨壓河形之處俱鑲做防風
以資攔禦其三壩集地方祇須酌做鉗口草壩
已可收束水勢前所擬添之碎石壩毋庸急辦
臣等不敢拘泥原奏致滋糜費是以現將石工
停止以歸撙節又豐北廳屬之楊家莊石林工
一帶地居北岸逼近運道向來最為險要上年
堵合卲壩時臣等同康基田並道員沈啟震田

自福等相度形勢在於吴家樓乜家樓退河集
等處預築挑水土壩三道用埽鑲護將大溜挑
開往南下注不使逼近北岸甚為得力現在經
歷伏秋叠次盛漲楊家莊石林工一帶數百丈
埽壩化險為平已經淤閉無庸鑲修所省工料
實多目下節交處暑距白露不遠洪澤湖存水
七尺七寸磚石堤工亦俱鞏固惟江南地處下
游為黄淮諸水滙歸之區溯查從前各年秋汛
消水較緩防守尤宜詳慎臣等竊念直隸境內
山水驟發各河異漲以致偶被淹漫上煩
宵旰焦勞臣等寸衷凛惕寤寐難安復荷
廑注南河叠蒙
垂詢臣等具有天良敢不倍殫血誠盡心防範以冀
三秋汛水務保安瀾稍慰
聖懷於萬一所有立秋後水勢復漲現已消退各工
平穩並臣等倍加敬慎防守緣由理合恭摺奏
聞伏乞
皇上睿鑒臣等因南河緊要大汛水勢情形時縈

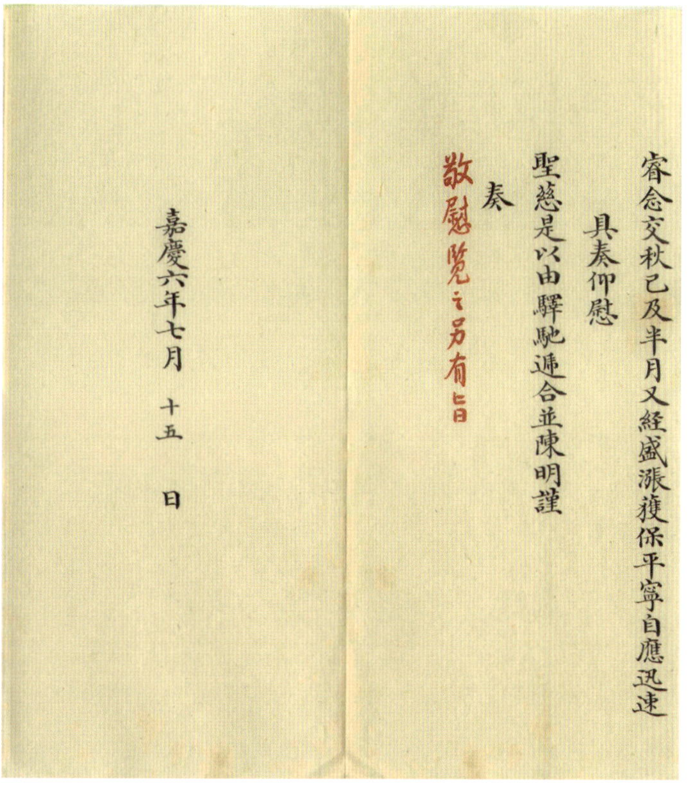

睿念交秋已及半月又經盛漲獲保平寧自應迅速

具奏仰慰

聖慈是以由驛馳遞合並陳明謹

奏

敬慰覽之另有旨

嘉慶六年七月 十五 日

六六九

奏

奴才台布跪

奏為遵

旨查明黄河迤南蒙古番族情形妥協調處以安游

牧以資防守仰祈

睿鑒事竊奴才連奉清漢字

諭旨以蒙古地方原不准番族人等居住但伊等既

經在彼支搭帳房且聚集數千人之多自非一時

所能驅逐前據台布奏帶兵二百名前往查辦若

以兵力勒令遷移轉恐激成事端台布到彼務當

徐為開導令其陸續搬移相機辦理不可操之太

急也至蒙古王公扎薩克係為中國藩衛豈有以

内地官兵轉為外藩防守之理即如哈薩克布魯

特等處同係外藩部落若亦似此紛紛懇請内地
馬有如許兵力爲之越界防守乎台布到彼後察
看情形如無需代爲安設卡倫最爲妥善倘事難
中止亦當曉諭蒙古王公扎薩克以爾等不能自
衛藩籬致賊番乘隙搶刦今蒙大皇帝格外施恩
暫爲派兵防守一半年後即當撤回爾等務須各
知振奮轉弱爲强使番子等不敢仍前搶刦佔據
地界方爲久遠之計如此明白曉諭俾蒙古知内
地官兵不能長爲防守自必力圖振作也其如何
熟籌辦理之處並著台布悉心妥議具奏再降諭
旨欽此欽遵仰讀
聖訓周詳奴才欽佩之至奴才原奏六月初九日起程因
自初二日偶染感冒即加緊調治於二十二日
稍痊遂即起程於二十四日抵貴德城署同知
姜有望帶領去歲賞給頂戴頭目尖木贊等七
人預來迎接奴才諭以爾等搶刦蒙古罪俱應誅
因其悔罪投誠
大皇帝好生爲德未加殄滅仍

加恩賞給頂戴原令爾等約束衆番遵奉
王法永享
大恩乃爾等並不知感所具甘結内三款永不做賊
在番地之蒙古即行送出在蒙古地方居住之
番帳俱搬回原處今查此三件爾等尚未盡遵
本大臣帶領官兵前來查辦該頭目甚屬惶恐
有尖木贊叩頭哀懇據稱小番等自受
大皇帝恩赦後並未敢肆行搶掠惟人數太衆内有
無知窮人偷竊一二牲畜者實所不免現在小
番等嚴查獲日呈送大人處治在番地之蒙古
於投誠後曾經交出其留戀番族不肯遽去者
上緊查辦亦即送出至蒙古地方居住番帳前
本官帶役親去督催現已陸續搬盡即請大人
親臨查勘等語適有黄河迤南五旗王納漢達
爾濟並扎薩克等前來謁見又河北二十五旗
王公扎薩克等知努前來巡閲共議王依什達
爾吉貝勒濟克墨特依希貝子車爾特恩多爾
濟齊墨特達巴公拉特納希第格勒克拉布吉

扎薩克羅布藏吹達爾多爾吉等八人帶領兵
丁四百名跟隨前來商議卡倫事宜奴才諭令
一同前往查勘情形再爲定奪隨收拾軍裝置
辦口糧暫住數日出口行至奎屯西里克地方
署同知姜有望復帶貴德所屬住蒙古地方
頭目前來迎接情形甚屬恭順奴才訊其所住帳
房曾否搬去據稟前本官帶役驅逐俱已搬入
內地奴才眼同河南河北王公沿途查驗實已搬
出蒙古界外又至鄂倫布地方有署同知佘景
奎帶領住蒙古地方番族頭目迎接問其帳
房據稟本官帶役飭催已經搬回沿途協同王
公查驗實在蒙古地方並無番族住帳房惟
納漢達爾濟境內有循化合兒族之亦洛合瓜
什濟二庄人戶未搬詢問納漢達爾濟據稱此
項番子在我地方居住三四輩了與我屬下人
一樣懇乞准令在此居住又查漢諾們罕境內〔另有旨〕
有貴德熟番主古录族揣咱族番衆未搬詢問
該協理台吉羅卜藏達希據稱主古录族從前

與我們旗出過力諾們罕在時准令在此居住給過執照揣咱族亦與我們出力是以准令在此居住等語奴才以番衆俱係一樣爾等願意者准令居住不願者逐稟懇驅逐豈有同是番族一准容留一被驅逐被逐之人豈肯甘心今雖暫去必以所留之人爲口實仍復搬來碍難辦理爾等即將所留之人盡行逐出不可容隱據納漢達爾濟等口雖應允而其詞色甚屬爲難細加訪察伊等原與此項番族相好依仗護衛又不敢明言大約暫時遵照逐出俟奴才過後仍復招來奴才正與各王公商議安設卡倫閒據署同知姜有望佘景奎稟稱循貴野番自改歸内地後其插帳處所本係山高地冷土多不毛歷年人畜漸多實在不敷牧放今搬回内地緣畏懼大人聲威暫行迴避俟大人一過不能保其不來適各頭目稟懇求給水草情願代蒙古地方把守卡倫如有遺失牲畜願甘承罪甲職等細查番情與其限以畛域不如服其心思兩相

和好爲安伏祈裁奪等語 努
駁以番蒙界址各
分中外未便准其攙越乃該頭目哀憐苦求再
四稟稱小番們久沐
大皇帝深恩百年來孳生太蕃原賞游牧地方實不
能容且蒙古挪移尚那克後潛來居住衆番之
原地又被别人佔住一時不能遽回原處這兩
年在此牧放稍可孳生若必逐回原地將來必
至困窮饑餓懇恩于卡倫之外賞給水草得資
生活小番們情願代守卡倫不致稍有疎虞已
求過各王公應許等語隨將此情轉問河南河
北各王公據稱番蒙地方俱係
皇上疆土但各有界址原不應彼此攙越因連日責
德番民尖木贊帶領各番頭目於我們衆人前
叩頭懇恩稟稱以前搶刼蒙古實因糊塗貧不
聊生如今孳生太多無地牧放若肯借給水草
情願出具甘結永不偷盗並防守卡倫保無搶
刼之患又據納漢達爾濟呈稱我們五旗從前
派兵一千二百名安設卡倫因地方遼濶並無

要隘堵禦即多設卡倫亦恐不能斷其賊路今
各番求給水草承認防守如循貴兩廳出具借
券以卡倫外無用之地借給牧放該番得以生
活代守卡倫亦屬兩便等語　努
諭以蒙古番族
游牧俱係
大皇帝地方久已分定界址賞給爾蒙古番子居住
此時豈可將蒙古地方勻給番衆況番性好偷
若與蒙古相近更易滋擾此事斷不可行據各
番禀稱小番等實無可歸之地大人賞些地方
居住衆頭目情願互相保結再不做賊並情願
防範卡倫把守氷橋過往差使預備烏拉倘若
違背大人自可帶領官兵剿辦小番等亦不敢
怨伏地叩頭哀懇不起　努
總未應允數日來衆
番目跟隨行走惟逐日叩頭哀求毫無強橫光
景又據各王公再三代求貴德循化兩廳據情
轉禀　努
查蒙古被番賊搶刼一空去歲所賠不
及百分之一賊首又俱賞給頂戴伊等原不甘
心是以從前懇乞大兵懲辦今衆番目等雖已

誠服僅不加以兵威則已叨恩豈反以蒙古之
地任其移住是以奴才不允所請乃該番復赴蒙
古營盤叩頭轉求此時蒙古怨懷稍慰並明知
番族雖逐出境外不能保其不復移來即安設
卡倫亦不能堵禦如此將計就計或可安静亦
未可定故向奴才代番衆懇求賞給伊等沿邊之
地居住令其互相保結不做賊不收留逃去蒙
古過往差使預備烏拉我們五旗不能多派官
兵坐卡暫派兵二百名在舊卡處安設懇祈派
撥漢兵一百名帮護此項官兵原不爲堵禦而
設不過分别界址察看情形而已番衆知有漢
兵自不敢偷越如果安静認真守卡准其住牧
倘復滋事明年再行驅逐求大人代奏乞
大皇帝賞派漢兵一百名則感戴無既矣等語奴才細
查番蒙情形歷年不無仇恨若加以威而生怨
毋寧順其情而取和且細勘蒙古邊界遼濶將
及千里並無可守要隘俱係漫山道道可通若
惟恃卡倫堵禦非七八千官兵不能周容況蒙

古既願揣咱等族在此居住是不允所請亦來必矣不允所請而自來伊等既不互相保結又不應差係屬白住並有偷竊之處與其不允致令自來又費周章莫若允其所請令其互相保結不做賊又應差使設有偷竊之處即可著落作保頭目查辦今番地之蒙古內有被擄者有逃去者願回不願回本屬不一是以未能盡行呈出連日據貴德所屬衆番目呈出蒙古人戶共一百二名口並稱其不願出之蒙古及投誠後之賊犯聞信俱已遠颺求賞限期弋獲時即行呈送等語奴才遂將送出蒙古人口飭令各扎薩克查收諭令嚴加管束毋得又任脫逃至番族人衆貧窮者自復不少偷竊牲畜在所不免自奴才到任後雖有數起賊案均非結隊成羣搶掠俱係偷竊惟佔住蒙古地方之番帳於奴才到來之前雖俱移出蒙古界外奴才悉心體察兼詢與論番形如鼠無人則至有人則逸今見官兵到來搬出官兵一回仍復搬進推原其故此地

水草與番族處較優而番衆生齒日繁原處本
不能容兼之潛來此處居住後原處被別族佔
住一時無處可歸上項情節俱係實在情形奴才
回城後仍復搬回勢所必有彼時奴才未便又來
驅逐即或復來番衆聞知又必遠颺奴才斷無常
川往返之理查伊犁塔爾巴哈台卡倫之外尚
有餘地餘地之外方是哈薩克游牧每至冬令
哈薩克游牧雪大即潛來餘地過冬屢經驅逐
不能禁其不來是以奏明每年差派官兵前往
查閲按馬百匹收貢馬一匹方准居住不交貢
馬者不准居住今番衆情願預備過往烏拉與
哈薩克交貢馬相似但此事似屬割地求和然
據納漢達爾濟等云仰托
皇上威福此次番衆實在恭順到我們營盤陪罪叩
頭惟有哀求而已毫無野性從未見過如此動
作看來有些漸沭
王化氣象我們此時實在力量不足不能多設卡倫
又不能向伊等拒敵只好暫且應允試看一年

再定等語查番性寔頑不論理之曲直惟知報
復為事倘加嚴辦其心必以爲護庇蒙古伺隙
又來搶刼如允所請既可收籠其心較之設卡
安兵爲上但番性畏威而不懷德反復無常現
在雖如此懇求過此或仍肆行搶掠或漸次往
裏挪移均未可定。努遂向納漢達爾濟等諭以
爾等既願如此辦理姑准試辦一年如果番衆
遵依所結則最爲妥善倘有違背明年再辦爾
等既按舊卡三處安設官兵二百名原爲試看
尚屬可行至安設漢兵一層緣
國家官兵不便與爾等防範但此係初與番衆定
議只可安設一年不能久駐我代爾等奏懇
大皇帝准否看爾等造化此一年之内爾等務必好
生操練鼓勵勇氣栽撤漢兵後方能自衛不然
仍屬無益至亦洛合尕什濟揣咱主古录四族
爾等既願在此居住亦姑准爾等所請但須出
結倘有偷竊等事惟爾等是問據稱所諭甚是
我等謹遵巳結並情願出結具保。努將蒙古番

子傳齊對衆諭以爾等番衆糊塗不知大體凡
屬疆界寸土不可讓人今爾等以原處窄小不
能容住多人懇求賞給地方原不可行但爾等
既互保不做賊又應差使衆蒙古王公又代爾
等哀求姑准暫在沿邊居住若有做賊者爾等
頭目務必將賍賊獻出治以應得之罪則與爾
等無干如敢隱匿則治爾等之罪如有逃去蒙
古亦即送出如敢容留亦治爾等之罪本大臣
今勘定地勢安設卡倫此次所設非比從前蒙
古所設亦非爲堵禦不過稽察爾等光景爾等
亦設頭目彼此稽察與爾等約自今日起試辦
一年爾等果能安静守法自能永享
大皇帝之福倘一年之内舊性復發有不遵所結等
事本大臣明年必帶兵來驅逐不但不准各族
在此居住並將違約之族痛加勦辦彼時悔之
不及也衆番目叩頭感謝懽忻之至遂呈遞甘
結並取具各結存案所有籌辦情形謹具奏
聞番衆果能如所結最善倘賊性復發　奴才再據實奏

聞請

旨遵行所需緑營官兵如蒙

俞允即由西寧鎮屬派撥前往會同蒙古官兵妥設

至黄河迤北情形容奴才查勘後另行具

奏謹

奏

另有旨

嘉慶六年七月　二十　日

六七〇

奏

山東巡撫臣惠齡跪

奏為屈家渡漫口合龍穩固恭摺奏

聞事竊查臨清衛河西岸屈家渡民埝漲漫前將鑲

做裹頭趕緊進占尚餘三十餘丈緣由恭摺具

奏在案茲蒙

聖心垂廑

諭令上緊堵合口門以利糧運臣跪讀之下殊深欽

佩伏查該處正當汶衛交滙下游埝旁又多潦

水取土路遠而應用秫稭料物因附近村庄被

淹舊料漂没新料尚未登場亦不能全在臨清

所屬購買臣到工後分飭附近各州縣協同購

辦陸續運送並多募被災貧民來工挑土酌給

錢文俾得餬口有資運土亦可迅速連日以来
趕緊鑲做諸事尚屬應手惟初六初九及十四
十七八等日大雨傾注衛河水勢復漲漫工口
門亦因漸次收窄逼溜刷沙水深數丈臣體察
情形現屆秋雨連綿之際衛水日有增長惟有
迅速堵合口門不使兩壩稍有趱蟄致滋勞費
幸自二十日以後天氣漸晴臣隨親率運河道
策丹並在工文武員弁無分晝夜趕緊鑲築該
道等亦頗認真出力已於七月二十五日合龍
斷流臣恐水勢洶湧復用重土追壓一律穩固
專派員弁駐守可保無虞不日回空漕船到来
亦可遄行無阻其孟家莊漫口及館陶縣之崔
家莊漫口七十餘丈臣現催購料物相度機宜
務期妥為辦理工竣
聖懷所有屈家渡漫口合龍日期謹恭摺具奏伏乞
皇上睿鑒謹
奏

覽奏稍慰

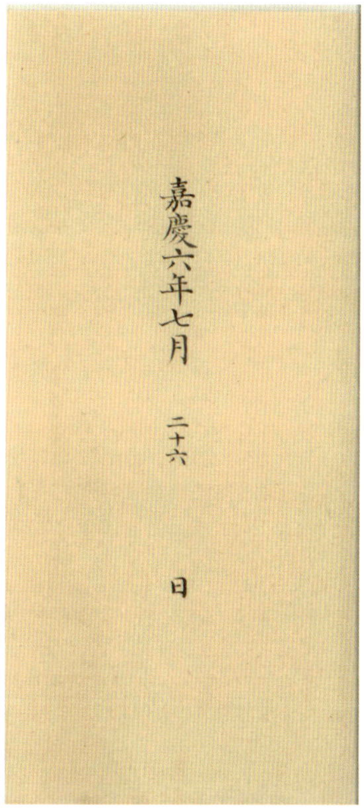

嘉慶六年七月　二十六　日

再查孟家口等處漫工前已鑲築裹頭無虞汕刷惟工程稍大需料較多且該處情形究非屈家渡口為糧船必經之地可比自應將料物購備齊全堵築應手庶一氣呵成轉覺工倍費省計採辦物料稍需時日當委運河道策丹督飭該州迅速趕辦現據署臬司稟有部控案犯提省候鞫臣乘此少暇擬由清平高唐一帶查勘撫卹之便順途回省趕緊訊辦以免拖累事畢即馳赴該處興工不致遲悮惟本年恭值辛酉鄉闈臣現辦漫口賑卹等事未能進場監臨已飭委署藩司方維甸代為辦理至監試提調向係分委道員承辦查東省各道非輾轉署事即現辦工賑未能酌派茲有護登萊道王朝梧濟南府知府德生均係科甲出身堪以委任除札飭遵照外理合附片奏

聞謹

奏

覧

再臣查現屆秋汛黃河水勢正在消長靡定之時河臣王秉韜駐劄豫省廟工防險東省曹單一帶均關緊要經臣札飭兖沂曹道錦格署曹州府知府張家炎及管河文武廳汛員弁往來梭織巡防毋稍弛懈并飭將一切埽工分別平險酌量鑲壓以免疎虞茲據該道等稟稱現在水勢雖旋長旋消但埽壩各工均屬鞏固且距白露不遠河水即可平穩理合附片奏慰

聖懷謹

奏

知道了

後記

我是從數學史學習中逐步瞭解治黄史的。漢代《許商算術》的作者許商，好天文術數之事的王景、李尋善，他們既是數學家，又以治理黄河而聞名。我國現存最早的河工著作《河防通議》，將中國古典數學天元術運用到治黄工程中，創造了中國古代工程數學的一個高峰。除了數學史之外，内蒙古師範大學科學技術史研究還以少數民族科技史和地方科技史見長。李迪先生曾指出地方科技史研究的重要内容是人與自然環境變遷、科技遺迹與自然環境以及環境與生産的關係，此類研究具有明顯的現實意義和重要價值。想要通過大科學史研究，弄清變遷的原因和未來的發展趨勢，産出對于地方各方面的開發有更大、更直接價值的成果，這類研究大多離不開文獻。之後，李迪先生更是直接指出科技史研究不僅是對過去的科技工作和科技成果的回顧與總結，而且要着眼于現代，讓古人的發明創造爲今人服務，繼續在現代發揮其應有的作用。我將先生大科學史的治學理念視爲座右銘，在科研工作中更加注重讓科研成果服務于國家戰略與區域發展需求。

二〇一九年九月，習近平總書記在黄河流域生態保護和高質量發展座談會上指出，黄河流域在我國經濟社會發展和生態安全方面具有十分重要的地位。黄河流域生態保護和高質量發展是重大國家戰略。同年十月，黨的十九届四中全會提出『加强邊疆治理，推進興邊富民』，首次把邊疆治理寫入黨的文件。内蒙古師範大學組織科研力量，積極申報研究闡釋黨的十九届四中全會精神的國家社科基金重大項目，其中『中國特色社會主義民族區域自治制度自信研究』項目獲批。我承擔其中的『鑄牢中華民族共同體意識下的民族自治地方文化自信研究』子課題，而黄河是首選文化要素。二〇二四年，該項目順利結項，我也對黄河文化所藴含的時代價值有了更深的體會。

有鑒于此，我帶領文化遺産智能應用服務中華民族共同體建設『英才興蒙』團隊，以黄河爲主題，開展了文獻、文物、傳統工藝等多模態資源庫建設和跨模態應用示範工作。這次與内蒙古人民出版社合作出版的《黄河國家治理文獻集成》，旨在梳理和總結文獻中所藴含的歷史經驗和文化信息，爲當代及未來的黄河治理和地方文旅産業發展提供參考與借鑒。

感謝内蒙古民族文化産業研究院、巴彦淖爾市圖書館等单位的傾力相助，感謝内蒙古自治區黨委宣傳部、内蒙古出版集團、内蒙古人民出版社對本項目的支持與幫助。

在此，也向致力于黄河治理和大河安瀾的歷代先賢與當代典範表達崇高的敬意：你們的不懈努力與無私奉獻，爲黄河的安寧與人民的福祉築起了堅實的防綫；你們的智慧與勇氣，將永遠銘刻在中華民族的歷史豐碑上，激勵後人不斷前行。

董杰

二〇二五年一月